<삶의 지혜 4>

미국의 문화와 생활

송근원

<삶의 지혜 4> **미국의 문화와 생활**

발 행 | 2021년 7월 13일

저 자 | 송근원

펴낸이 | 한건희

펴낸곳 | 주식회사 부크크

출판사등록 | 2014.07.15.(제2014-16호)

주 소 | 서울특별시 금천구 가산디지털1로 119 SK트윈타워 A동 305호

전 화 | 1670-8316

이메일 | info@bookk.co.kr

ISBN | 979-11-372-5013-0

www.bookk.co.kr

우리가 미국에 대해 얼마나 아는가?

극우파인 태극기 부대들이 태극기만 들고 나오는 것이 아니라, 성조기까지 흔들며 나오는데, 과연 이들이 미국을 제대로 알기나 하면서 그러는 것인가?

태극기 부대뿐만 아니라 일반 국민들도 대부분 미국을 잘 모른다.

우리가 미국을 한자로 '美國'이라고 쓰는 것처럼, 미국은 한자 그대로 '아름다운 나라'라고 피상적으로 인식하고 있을 뿐이다.

우리가 아는 미국이란 6.25때 우리를 도와준 국가이고, 미군이 주둔하고 있기에 아직도 우리나라가 안전한, 고마운 나라이고, 세계에서 제일 힘센 부자나라이며, 으뜸가는 선진국이어서 우리가 배워야 할 것이 많은 나라라고 생각한다.

그렇다면 정말로 우리가 아무런 비판 없이 저들의 문화를 동경하거나

그들을 흉내 내야 할 것인가?

미국에서 생활을 하다보면, 이들이 우리와 많이 다르다는 것을 알 수 있다. 이들의 문화와 생활은 이들의 사고방식을 반영한다.

미국인들의 생활과 문화를 이해하기 위해서는 이들의 의식구조의 밑바탕에 어떠한 가치관이 자리 잡고 있는가를 살펴 볼 필요가 있다.

저들이 추구하는 제일의 가치인 '자유'의 이면에는 '생존'이 자리 잡고 있다. 사회보다는 개인, 아니 '나'를 더 중요시하고, 의존보다는 자율과 독립을 더 중요시하는데 이런 가치들은 모두 저들의 생존과 직결되어 있다.

이런 것을 알면, 우리는 저들의 행동을 이해하고, 어떻게 대해야 할 것인지를 알게 된다.

"우리가 우리의 것을 알고 저들의 것을 알면, 받아들일 것은 받아들이고, 받아들이지 말아야 할 것은 받아들이지 않을 수 있지 않을까?"에 대한 해답을 얻을 수 있을 것이다.

이 책에서는 미국에 유학하면서 미국인들의 생활을 보고 느끼고 체험하면서 알게 된 미국의 문화와 가치들을 쓴 이가 정리한 것이다.

이 책에 나와 있는 미국의 문화와 가치, 그리고 미국인의 생활에 대한 단편들은 미국 유학 생활이 벌써 40년 가까이 되었기에 세월이 흐르는 동안 어떤 점에서는 많이 달라진 부분도 있을지는 모르겠다.

그러나 미국인의 의식 구조 밑에 자리한 그 기본적인 흐름만은 변치 않고 있기 때문에 미국을 아는 데에는 아직도 유효하다고 본다.

비록 시간은 많이 흘렀으나, 미국의 문화와 미국인들이 추구하는 가치, 그리고 미국의 복지 제도와 관련하여 살아가는 미국인들의 생활 방식 등을 이해하는 데에 많은 도움을 줄 수 있으리라 믿는다.

또한 이 책은 미국에서의 쓴 이가 유학 생활 중에 느끼고 체험한 것들, 곧, 미국에 유학하며 나와 가족들이 맞닥들인 생생한 경험들을 적어 놓은 것이기도 하다.

미국에 처음 도착하면 모든 것이 생소하다.

어떤 집을 얻어야 하며, 학비를 조달하기 위해 어떤 일들을 할 수 있으며, 공부할 때 어찌해야 교수들에게 인정받을 수 있는지, 그리고 장학금을 받으려면 어찌해야 하는지 등에 관한 유학 당시의 체험을 적어 놓은 것이다

또한 가족들이 미국 생활에 적응하기 위한 눈물겨운(?) 노력들 및 그 결과 적응 후의 성공적인(?) 미국 생활이 펼쳐진다.

그렇지만 학위를 받고 귀국한 후, 아이들이 한국 생활에 제대로 적응하지 못해 생겼던 일들, 학교와 군대에서 겪은 일들, 결국 그래서 아이들이 다시 유학을 떠나야 했던 사연들이 뒤를 잇는다.

또한 미국에서 함께 공부하던 친구들의 이야기가 회상되고, 최근의 코로나 사태 때문에 미국의 재난지원금을 받은 이야기 따위가 적혀 있다.

이 이야기들은 아마도 미국 유학을 준비하는 학생들이나, 미국에서 생활하고자 하는 분들에게 정말 유용하고도 생생한 정보를 제공해 줄 수 있을 것이다.

이러한 정보와는 관계없이 그저 재미삼아 읽으면서 그냥 즐겨주시기만 하더라도 쓴 이로서는 더 없이 고맙겠다.

읽는 분들의 행복을 빈다.

덧붙여 이 책의 표지에 쓰인 사진들을 무료로 쓸 수 있게 해준 https://pixabay.com/ko에 감사를 전한다.

단기 4338년 5월 정리하고, 4353년에 다시 정리하고

4354년 출판하다

솔뜰

목차

들며

미국 문화 I

미국 문화 II

미국인의 가치

미국인의 생활

미국 생활 I: 유학

미국 생활 II: 일상

귀국하여: 회상

미국 문화 Ⅰ

미국 문화의
복합적 다양성

미국의 문화는 복합적(複合的) 다양성(多樣性)에 그 특성이 있다.

짧은 역사와 여러 인종으로 이루어 진 미국이기에 여러 문화의 장점들이 복합(複合)되어 문화적 일각에서 나타나는가 하면, 온갖 못된 것도 복합되어 극(極)과 극(極)을 달리며 미국 문화의 특징을 나타내고 있다.

역사적 동화 과정을 통하여 다양한 여러 문화가 그 어떤 무엇을 중심으로 융해(融解)되어 문화적 복합성으로 나타나는 것이 아니라, 다양한 여러 문화가 그대로 혼재(混在)되어 제각기 나타난다는 것이 미국 문화의 특징이다.

비록 문화의 복합적(複合的) 다양성(多樣性)이 그 특징으로 나타나긴 하지만, 여러 문화들을 받아들이면서 서서히 한족(漢族) 문화(文化)를 핵(核)으로 삼아 동화(同化)시키는 중국문화(中國文化)와는, 바로 이러한 점에서 크게 다르다.

미국에 가기 전엔 미국인이 모두 파란 눈에 꺽다리인 줄 알았으나 전혀 그렇지 아니하였다.

인종만 해도 흑, 백, 황, 홍인종까지 골고루 섞여 있고, 정말로 난쟁이만큼 작은 사람도 많이 있고, 걸리버 여행기의 거인국에 나오는 듯한 사람도 있다.

한국에서도 큰 키에 속해 있던 쓴 이는 미국에서도 역시 큰 키에 속하였다.

이와 같은 다양한 사람들이 미국인을 구성하고 있으니, 이들의 욕구를 충족시키려면 물건도 당연히 다양해야 한다.

옷 입은 것 하며, 먹는 것 하며, 생활풍습하며, 모두가 다 다르다.

이러한 이질적(異質的)인 것들이 어떻게 하나로 뭉칠 수 있겠는가?

결국 이들을 다 인정하고 함께 살아 나가야 하는 것이 미국적 현실이다.

그것은 미국인으로 하여금 상대방의 개성을 존중하고 어느 정도 용인하도록 하는 문화를 발전시킨 것이다.

이와 같이 겉으로 드러난 미국 문화의 복합적 다양성의 근저(根底)에는 미국인이 지고(至高)의 가치로 추구하는 자유와 그들의 개인주의적 사고방식이 자리 잡고 있다.

사회의 기본단위가 개인이라고 생각하는 개인주의적 사고방식은 개개인의 다양한 욕구를 서로 인정(認定)하고, 자유에 바탕을 둔 끊임없는 경쟁(競爭)은 그들에게 선택의 폭을 넓혀 줌으로써 그들의 다양한 욕구를 충족시켜 줄 수 있는 '복합적 다양성의 문화'를 꽃피웠다.

그러나 바로 이러한 사실 때문에 미국 문화에는 그 어떠한 핵심(核

미국 문화의 복합적 다양성

心)이 될 만한 것이 없다고 말할 수도 있고, 그것이 바로 미국 문화의 핵심이라고 말할 수도 있다.

곧, 미국의 문화는 독특한 것이 하나도 없다고 할 수도 있고, 바로 이러한 사실이 그 나름대로 독특한 것일 수도 있다고 할 수 있는 바로 그러한 문화이다.

* 4323년 10월 10일 씀.

큰 문화

미국에서 느낀 것 중의 하나는 미국이 '큰' 나라라는 것이었다.

작은 것이 없는 것은 아니지만 일반적으로 모든 게 다 크다.

땅덩어리도 크고, 사람도 크고, 자동차도 크고, 과일도 크다.

수박도 길쭉한 것이 나 같은 장정이 낑낑대면서 간신히 들어 올릴 정도로 크다.

가지도 왜 그리 큰지 어른 팔뚝만하다.

처음 미국에 갔을 때, 북부 텍사스에 있었는데, 밤마다 마른하늘에 천둥소리가 어찌나 요란한지 잠을 설치기 일쑤였다.

오클라호마 쪽은 천둥소리는 더 크다고 한다.

한국의 천둥소리는 이에 견주면 모기 소리만 할 것이다.

한국의 태풍(颱風)이 피해(被害)가 심하지만, 미국의 토네이도는 아파트 지붕을 날려 보내고 아름드리나무를 뽑아 낼 정도로 크다.

큰 문화

또한, 지름이 1cm 정도로 큰 빗방울이 떨어지는 것을 본 일도 있고, 역시 지름이 1cm 넘는 우박들이 자동차 유리를 때리는 것을 본 적도 있다.

텍사스에 있을 때 옐로우스톤 국립공원을 구경하러 갔는데, 사흘 동안을 꼬박 달려서야 옐로우스톤에 닿았다.

가는 동안은 말 그대로 대평원(大平原)이었다. 가도 가도 들만 이어져 있을 뿐 좌우가 전부 초원(草原)이다.

날씨가 건조(乾燥)하고 더우니까 풀들이 누렇게 떠 있다.

그 사이로 간간이 보이는 것이 노루 떼인지 사슴 떼인지 무리를 지어 뛰어 다닌다.

가끔은 영화 자이언트에 나오는 끄떡끄떡하는 석유 퍼내는 기계(?)도 보인다.

옐로우스톤에서는 자동차를 타고 돌면서 구경했다.

한국에서는 산골짜기를 걸으면서 경치를 감상하지만, 이곳은 자동차를 타고 가면서 좌우 옆의 경치를 감상한다는 점이 다르다. 그렇게 크다.

그러나 한국에도 큰 것이 없는 것은 아니다.

돈[紙幣 지폐]이 그렇고, 주차위반 딱지가 그렇고, 세금고지서가 그렇다. 쓸 데 없는 것만 크다.

일반적으로 볼 때 후진국으로 가면 갈수록 돈의 크기가 커지는 것 같다.

지난 번 인도네시아에 갔더니 그곳 지폐는 우리나라 만 원짜리보다 더 크다.

왜 그럴까?

위조방지 기술이 모자라서 그런가, 아니면 못사는 것에 대한 반동 (反動)으로서의 보상 심리 때문일까?

한국에서는 주차위반 딱지가 이봉걸 장사의 손바닥보다도 더 크다.

거기에다가 그것을 왜 앞 창문에다 그렇게도 끈적끈적하게 딱 붙여 놓는 것인지?

그것을 띠는 데도 무척 애를 먹는다.

혹자에 의하면 그래야만 주차위반을 안 하게 된다고 하지만 턱없이 모자란 주차장 시설을 생각하면 전혀 그럴 것 같지 않다.

그것이 커야 할 이유도 없고, 떼는 데 애먹일 필요도 없다.

미국에서는 7cm X 10cm 정도의 딱지를 앞 유리창과 유리닦개 (wiper) 사이에 끼워 놓는다.

돈이건 주차위반 딱지건 세금고지서건 커야 할 이유가 없다.

그것은 국민이 낸 세금 낭비(浪費)일 뿐이다.

* 4324년 9월 1일 신정동에서 씀.

큰 문화

느린 문화,
예약 문화

미국인의 특징 가운데 하나는 대륙적(大陸的)인 기질(氣質)을 들 수 있다.

누군가가 섬에 사는 사람들이 성질이 제일 급(急)하고, 대륙에 사는 사람들이 제일 느긋하고, 반도(半島)에 사는 사람들이 그 중간이라는 이야기를 한 적이 있다.

이 이야기는 미국에도 그대로 적용(適用)되는 것 같다.

곧, 미국인의 기질은 대륙적 기질(氣質)이어서 '느리다' 또는 '서두르지 않는다'는 것에 그 특징(特徵)이 있다.

예컨대, 미국의 대학이나 대학원에 입학을 하려면, 보통 1년 전(前)에 필요한 서류를 내야 한다.

전직(轉職)을 하는 경우에도 옮기는 직장이 일 년 전에 미리 결정되는 것이 보통이다.

미국 문화 I

이러한 "느린 문화"는 미국인들의 계획적인 생활 습관과 더불어 "예약(豫約)"의 문화를 발전시켰다.

예컨대, 여름휴가(休暇) 계획은 일 년 전에 세워야 하며, 해수욕장의 호텔도 일 년 전에 예약해 놓는 것이 보통이다.

물론 못 가게 되면 취소(取消)할 수 있다.

그러나 예약해 놓지 아니하고 무작정 한국식으로 떠나면 방을 구하지 못해 쩔쩔매는 경우가 허다하다.

이러한 계획적인 생활은 미리 미리 예정된 삶을 준비해 나간다는 점에서 그 좋은 점이 없지는 아니하나, 우리와 같이 무계획적(無計劃的)인 삶에 익숙한 사람들에게는 불편하기 이를 데 없다.

꾸무럭거리다 보면 예약할 때를 놓치고 어느 덧 휴가철이 되어 버리니 말이다.

그렇다고 해서, '늦었지만 깨달을 때가 제일 빠르다'며 금년 휴가는 포기해 버리고, 내년 휴가 계획을 다시 세우고 호텔 예약을 하면서 내년까지 기다리기에는 너무나 성질이 까칠해서 성에 차지 않는다.

미국인들의 꽉 짜여 진 생활은 우리 한국인에게는 숨이 막혀 답답하기가 이를 데 없는 것이다.

도대체가 노는 데도 예약을 해야 하고 쉬는 것도 계획대로 해야 하니, 그게 어디 노는 거고 쉬는 건가?

도대체 이해가 안 간다.

그러나 미국인들은 느긋하게 예약하고 그것에 따라 생활한다.

그러니까 1년 정도 미리 준비하면서 사는 것이다.

이와 같은 그들의 예약된 삶에서는 한 치의 낭만(浪漫)도 찾아 볼

느린 문화, 예약 문화

수 없을 것처럼 보이지만 그들은 낭만도 미리 예약한 시간 속에서 꾸려 낸다.

아마도 그들은 할 수만 있으면 죽음까지도 예약할 것이다.

* 4324년 9월 1일 신정동에서 씀.

줄서기의
합리성

미국의 좋은 점 가운데 하나는 합리(合理)와 상식(常識)이 통한다는 점이다.

미국인들의 생활은 생활 하나 하나가 합리적으로 이루어진다.

은행(銀行)에 가 줄을 서서 차례를 기다리는 데에도 합리성이 작용한다.

곧, 먼저 온 사람이 먼저 서비스를 받게 되어 있다.

한국에서 제일 불편한 것 가운데 하나는 은행이나 동사무소에 가서 차례를 기다리는 일일 것이다.

일선 창구(窓口) 앞에는 늘 도떼기시장처럼 사람들이 몰려 있어 혹시나 내 차례가 지나치지나 않았는지 신경을 쓰며 불안해해야 한다.

나같이 키가 큰 사람에게는 비교적 유리하지만 차례대로 편안하게 일을 볼 수 있도록 하는 방법이 없지는 않을 텐데 말이다.

줄서기의 합리성

비교적 한국 사람도 줄서기에 익숙해지긴 했지만, 똑같은 업무를 담당하는 줄이 여러 개 있을 경우에는 전혀 합리적이지 못하다.

줄을 잘못 서는 경우, 저쪽 줄에 늦게 온 사람보다 훨씬 오래 걸리는 경우가 많은 까닭이다.

앞의 사람이 무슨 문제로 오래 시간을 끌게 되면, 다른 줄은 줄어드는데 이쪽 줄은 줄어들지도 않고 괜히 짜증만 난다.

앞의 사람은 앞의 사람대로 뒤의 사람에게 미안하기만 하고.

물론 어떤 경우는 나중에 왔는데도 불구하고 내 줄이 빨리 줄어들어 생각보다 빨리 일을 끝내는 경우도 있다.

그러나 이런 경우에도 먼저 와서 다른 줄에 서있는 사람들에게 미안한 감을 느끼게 된다.

온 순서대로 일을 보는 것이 보다 합리적이지 않은가?

미국의 경우에는 줄이 한 줄로 되어 있다.

은행원들은 벽을 등지고 1.5미터 정도의 박스로 된 창구 앞에 컴퓨터 단말기(端末機) 한 대씩 놓고, 손님들을 기다린다.

일이 끝나, 손을 들어 신호를 보내면 차례로 빈곳으로 가서 일을 보면 된다.

따라서 앞의 사람이 시간을 끄는 일이 있어도 전혀 미안해 할 필요가 없다.

물론 대출이나 특별한 일들은 따로 책상을 놓고 그 것을 담당하는 직원(職員)들이 있지만, 예금(預金), 출금(出金), 송금(送金) 따위의 업무는 은행원 각자가 자기 책임 아래 처리해 버린다.

이러한 일상적인 업무도 일정 금액 이상이 되면, 상사에게 가서 상

14

의를 하거나 결재(決裁)를 맡기도 하지만, 그렇게 한다 해도 뒷사람에게 피해를 주지는 않는다.

한국의 경우, 일선 은행원 단독(單獨)으로 처리하는 경우가 드물다.

반드시 뒤에 책상을 놓고 앉아 있는 대리와 또 그 뒤에 앉아 있는 차장 도장이나 사인을 받아야 입·출금이 된다.

그러니 시간이 걸릴 수밖에 없다.

일선 행원에게 어느 정도 책임과 함께 권한을 주는 것이 보다 능률적이 아닌가 한다.

한국의 동사무소에 가보면, 앉아서 노는 사람이 있는가 하면, 눈 코 뜰 새 없이 바빠서 땀을 뻘뻘 흘리는 사람도 있다.

예컨대, 동사무소에서 주민등록(住民登錄) 업무나 호적(戶籍) 업무를 담당하는 직원의 경우 보기에 딱할 정도로 바쁘게 움직인다.

그것을 보느라면 "야 정말 저 사람 애국자(愛國者)구나, 월급을 배로 줘도 되겠다."는 생각이 든다.

반면에 다른 어떤 업무는 한가(閑暇)하기 이를 데 없다.

이것은 업무를 비능률적으로 조직화했기 때문에 나타나는 현상이다.

업무를 합리적으로 조직화하는 것도, 줄서서 일을 보는 것도 보다 합리적으로 개선(改善)해야 하는 것도 모두 고객(顧客)을 위한 일이고 시간을 버는 일이다.

* 4324년 9월 1일 씀.

줄서기의 합리성

타협과
흥정

미국의 문화는 타협(妥協)과 흥정의 문화이다.

이것은 미국인들이 가지는 문화의 복합적 다양성으로부터 유래(由來) 된다.

곧, 개인주의적 사고 정향(定向) 속에서 그들의 생활양식(生活樣式)이 서로 맞부딪칠 때 평화적으로 해결할 수 있는 가장 좋은 방법이 당사자 사이의 타협과 흥정이다.

타협과 흥정은 한편으로는 미국의 장사꾼 문화의 일면을 반영하기도 하며, 다른 한편으로는 점증주의적 미국 정치의 진수(眞髓)이기도 하고, 더 근본적으로는 모든 생활방식의 바탕이기도 하다.

예를 들어보자.

미국에서는 대학교수를 임용(任用)할 때, 해당 학회 소식(消息)을 전 해 주는 학회신문에 채용(採用) 공고(公告)를 낸다.

물론 이 때 채용 조건으로서 연봉(年俸) 및 근무조건(勤務條件) 따위가 당연히 제시(提示)된다.

그러면 후보자(候補者)가 서류를 제출(提出)한다.

학과장(學科長)은 후보자들 가운데 세 명 내지 다섯 명 정도의 후보자를 추려 놓고 각각 다른 날짜를 지정하여 학교에 와서 면접(面接)을 하라고 통고(通告)하며, 후보자가 그 학교에서 머무르는 동안의 시간표와 함께 왕복(往復) 비행기 표를 보낸다.

숙박비(宿泊費)는 물론 학과에서 부담한다.

그러면 후보자가 와서 시간표대로 움직인다.

보통 오전에는 학과 내 각 교수들과 30분씩 면담(面談)을 하도록 짜여 있고, 학과장과 점심을 같이 한 후, 오후에는 후보자의 논문(論文) 발표가 있다.

논문 발표에는 학과 교수들뿐만 아니라 관심이 있는 사람은 누구나 참석(參席)할 수 있는 것이 보통이며, 대학원 학생들의 참석은 거의 의무화되어 있다.

발표가 끝나면, 질문(質問)과 응답(應答)이 있다.

일종의 채용 면접시험인 셈이다.

그것이 끝나면, 대학원 학생들과 자유로운 대화의 시간을 가진다.

발표한 논문 이외의 여러 가지에 대해 묻기도 하고 자기 의견을 이야기하기도 한다.

그것이 끝나면, 후보자는 비행기 타고 자기 집으로 되돌아가게 되고, 학과장은 학과 교수들로부터 채용후보자에 관한 채점표(?)를 걷는다.

그리고 대학원 학생들로부터 의견을 듣는다.

타협과 흥정

그리고 이러한 결과를 모두 취합(聚合)한다.

만족스럽다고 생각하면 연락을 하여 이쪽에서 제시하는 조건과 후보자가 바라는 조건을 절충(折衷)하게 된다.

연봉을 더 달라고 하면, 이쪽 학교의 예산(豫算) 사정을 들어 얼마밖에 못 준다고 사정하며, 대신에 이사(移徙) 비용을 전부 부담한다든가 하는 조건을 제시하면서 줄다리기를 한다.

후보자는 후보자대로 다른 학교에도 날아가서 비슷한 절차를 밟는다.

몇 군데 이와 같은 절차를 밟아, 가장 근무(勤務) 조건이 좋은 것으로 결정하는 것이다.

그래서 돈이 없는 학교에서는 좋은 선생을 모셔오기가 어렵다.

후보자가 다른 데로 간다고 하면, 더 좋은 근무조건을 제시하던가, 아니면, 제 2의 후보자에게 연락을 하여 똑같은 절차를 밟게 된다.

이렇게 하여 채용이 결정되는 것은 보통 임용하기 1년 전에 이루어진다.

이와 같은 교수 채용 절차는 합리적인 경쟁에 입각한 미국인의 사고방식을 보여주기도 하고, 그 과정상의 타협과 흥정이라는 절차를 보여주는 아주 좋은 예이다.

초등학교 교사 채용 및 재임용 계약 역시 교장(校長)과 교사(敎師) 또는 교사 후보자 사이의 흥정과 타협에 의해 결정된다.

이러한 타협과 흥정의 문화 또는 계약(契約)의 문화는 다양한 선택의 기회가 주어지는 경우에는 지극히 합리적이고 좋은 것이지만, 그렇지 못한 경우에는 '가지지 못한 자'에게 불리하게 작용한다. 따라서 미국의 이러한 타협과 흥정의 문화가 항상 합리적이고 좋은 것은 아니다.

       * 4323년 어느 날 씀.

개척정신과
미국인의 호전성

미국만큼 전쟁을 좋아하는 나라도 없을 것이다.

개국(開國) 이후 세계에서 일어나는 큰 전쟁 치고 미국이 개입(介入)하지 않은 경우가 과연 있던가?

전쟁을 좋아하는 까닭은 미국인이 사람을 죽이는 것을 특별히 좋아하기 때문이라고 하기보다는 장삿속에 있다고 할 것이다.

물론 건국(建國)할 때부터 독립전쟁, 남북전쟁, 멕시코와의 전쟁, 서부 개척(開拓)을 빙자(憑藉)한 인디언과의 전쟁, 세계 양차 대전, 한국전쟁, 베트남 전쟁, 파나마 침공, 최근의 페르시아 만 전쟁에 이르기까지 전쟁에 참여하는 것을 보고 그들의 국민성이 호전적(好戰的)이라 볼 수도 있을 것이다.

그리고 이렇게 전쟁에 계속 참여함으로써 그들의 호전적 욕구를 충족시켜 왔다고도 볼 수 있다.

그러나 사실은, 좀 더 다른 측면에서 본다면, 전쟁에 개입함으로써 미국인의 호전성을 키워왔다고도 볼 수 있다.

미국에서 젊은이들이 즐겨 찾는 전자오락실에 가보라.

전자오락 게임은 거의 전부가 다 전쟁에 관한 것이다.

싸우고 부시고 죽이고 하는 게임이다.

너도 살고 나도 사는 그런 게임은 없다.

이를 보면 이들의 국민성이 얼마나 호전적인 것을 알 수 있으리라.

전쟁을 통해서 이익을 보는 재벌들, 좀 더 정확히 말한다면, 군산복합체(軍産複合體: military-industrial complex)가 겉으로 드러내지 않은 채 국민들 누구에게나 있는 호전적 욕구를 끌어 올리고 있음을 알 수 있다.

미국인이 자랑스럽게 내세우는 개척정신(開拓精神) 역시 마찬가지이다.

개척정신은, 뒤집어 놓고 보면, 인디안 말살(抹殺) 정신이고, 침략(侵略) 정신이며, 땅 빼앗기 정신이다.

평화롭게 살던 인디언들을 내쫓고 이루어진 것이 개척정신 아닌가!

이러한 개척정신이 돈을 좋아하는 미국인의 배금정신(拜金精神)과 결부되어 금(金)을 찾아 서부로 서부로 향함으로써 오늘의 미국을 형성한 원동력(原動力)이 된 것임에는 틀림없다.

그러나 개척정신이 그렇게 자랑스러운 정신은 결코 아니다.

왜냐하면, 개척정신이라는 것이 버려둔 땅 황무지(荒蕪地)를 개척하여 부(富)를 형성하는 정신이라기보다는 인디언을 죽이면서 땅을 빼앗는 전쟁 정신의 미화(美化)된 표현에 불과하기 때문이다.

개척정신과 미국인의 호전성

세월이 바뀌어 이제는 인디언을 죽이는 개척정신보다 서로 서로 잘 살아갈 수 있는 홍익인간(弘益人間)의 정신이 필요하지 않겠는가?

그럼에도 불구하고, 서부 개척의 역사, 다시 말해서, 인디언과의 싸움에서 승리한 역사가 자랑스레 교육되고 전승(傳承)되는 이유는 무엇일까?

돈을 좇는 미국인들이 어렸을 적부터 공공교육을 통해 그들의 이세에게 개척정신을 사회화시키고 있음의 이면(裏面)에서 그들의 호전성이 전승되고 있음을 엿볼 수 있다.

* 4323년 어느 날 씀.

링컨이
존경받는 이유

미국인들이 가장 존경(尊敬)하는 인물은 링컨 대통령(大統領)이다.

우리나라 사람들이 세종대왕(世宗大王)을 좋아하듯이 미국인들은 링컨을 좋아한다.

어른이고 아이이고 간에 인기(人氣) 순위(順位) 1위는 링컨이다.

인기 순위 2위는 미국의 초대(初代) 대통령인 워싱턴인데, 건국의 아버지인 그도 링컨에 비하면 인기도가 한참 떨어진다.

링컨이야말로 미 국민의 사랑을 거의 독점(獨占)하는 인물이다.

링컨이 미국에서 가장 존경받는 이유는, 쓴 이가 곰곰이 생각해 보니, 다음의 세 가지 이유에 기인하는 듯하다.

첫째는 링컨이 자수성가(自手成家)한 사람이라는 점이다.

링컨은 어렸을 때부터 독학(獨學)을 하면서 노력하여 하원(下院) 의원(議員)이 되고 대통령이 된 입지전적(立志傳的) 인물인데, 이러한 점은

링컨이 존경받는 이유

미국인들의 기질에 딱 들어맞는다.

곧, '자신의 힘'에 의하여 부(富)를 쌓아 재벌(財閥)이 되었다든가 출세(出世)를 했다든가 하는 자립정신(自立精神)에 미국인들은 많은 가치를 부여(附與)한다.

자수성가한 사람이 미국 역사를 통해 어디 링컨 한 사람 뿐이겠는가?

그러나 유독 링컨이 최고의 인기를 누리는 까닭은 링컨이 되게 못생겼으며, 또한 되게 가난했었다는 점이다.

따라서 '나도 그렇게 될 수 있다'는 점에서 미국인들에게 링컨은 살아 있는 전설(傳說)이요, 희망(希望)의 상징(象徵)이다.

이런 점에서 볼 때, 미국인들의 우상(偶像)이 되려면, 우선 못생겨야 하고, 가난해야 할 것이다. 그리고 나서 출세해야 한다.

둘째 이유는 정치적 이유인데, 링컨이 남북전쟁으로 분열(分裂)될 뻔한 미국을 통일(統一)시킨 인물이라는 점이다.

미국의 남북전쟁(南北戰爭)이 사가(史家)들에 의해 어떻게 평가(評價)되든지 간에, 링컨의 미국 통일이 현재의 미국 역사(歷史)로 이어져 있기 때문에 미국인들에게 링컨은 한국의 태종(太宗) 무열왕(武烈王)과 같은 존재일 수밖에 없다.

만약, 링컨이 미국 통일에 실패(失敗)하였다면, 현대의 미국인들에게 그렇게 많은 지지를 받지는 못하였을 것이다.

셋째 이유는 링컨이 노예(奴隸) 해방(解放)을 주도(主導)하였다는 점이다.

이에 대해서는 그 당시 남북 간의 사회경제적 상황 때문에 링컨으로

서는 어쩔 수 없이 북부의 노예 해방을 찬성(贊成)하였다는 견해도 있으나, 어찌되었든 그의 노예 해방은 그를 위대(偉大)한 미국인으로 만드는 좋은 명분거리가 되었다.

그러나 앞의 두 가지 이유와는 달리 이 이유는 미국인들이 링컨을 존중(尊重)하는 이유로서 그렇게 크게 설득력(說得力)이 있지는 않은 것 같다.

곧, 노예 해방을 통한 인류애(人類愛), 다시 말해서, 인간 평등, 인간 존중 사상의 실현이라는 점은 링컨을 세계적인 인물로 추앙(推仰) 받게 만들었으나, 정작 미국인들은 이 이유 때문에 링컨을 존경하지는 않는 것 같다.

왜냐면, 노예 해방을 부르짖은 지 어언 백여 년이 흘렀으나 미국의 인종(人種) 차별(差別)은 아직도 없어지지 않은 까닭이다(이 책 "미국인의 인종차별" 참조).

* 4323년 어느 날 씀.

링컨이 존경받는 이유

미국 문화 Ⅱ

싼 물건
비싼 물건

돈을 좋아하는 미국의 문화는 장사꾼 문화이다.

미국이 복합적 다양성의 문화를 가진 나라답게 물건의 종류(種類)도 많지만 가격도 천차만별(千差萬別)이다.

가게에서 파는 볼펜만 해도 1달러에 10개짜리가 있는가 하면, 하나에 3-4달러짜리도 있고 하나에 30-40달러짜리도 있다.

그러나 그 성능(性能)은 크게 차이 나지 않는다.

물론, 1달러에 10개짜리 볼펜은 조금 쓰면 똥이 찍찍 나오지만 어찌됐든 쓸 만하다.

4달러짜리는 40달러짜리와 그 성능 면에서 거의 손색(遜色)이 없으며, 단지 디자인만 조금 다를 따름이다.

예컨대, 똑같이 새까만 볼펜인데 볼펜 맨 위쪽에 토끼 같은 무늬가 있는가 없는가의 차이(差異)가 있을 뿐이다.

그런데도 값은 차이가 크다.

그리고 또 그것을 사는 사람이 있다.

어찌 보면 4달러짜리 대신 40달러짜리 볼펜을 선택(選擇)하는 것이 미련한 짓인 듯도 하지만, 돈 많은 사람들의 경우 이런 것은 문제가 안 된다.

40달러짜리를 사서 양복 윗주머니에 꽂음으로써 토끼가 돈 많은 신분(身分)임을 나타내 줄 수 있기 때문이다.

어떤 술집은 맥주 한 병에 1달러를 받는데, 어떤 술집은, 조금 더 고급스럽게 꾸며 놓긴 하지만, 똑같은 매주 한 병에 10달러를 받는다.

1달러 받는 술집과 10달러 받는 술집의 존재는 각각 돈의 신분(?)에 따라 사람들이 모여서 즐기고 싶다는 욕구가 충족될 수 있음을 보여 준다.

이러한 사실은 장사꾼 문화의 정수(精髓)를 보여 주는 한 가지 보기이다.

빈부(貧富)에 따라 손님이 다르다는 사실, 곧, 욕구가 다르다는 사실을 알고 장사를 하는 까닭이다.

곧, 돈이 없는 사람이나 실용적(實用的)인 사람은 싼 물건을 사면 된다.

돈 많은 사람은 또한 그만큼 쓰도록 되어 있다.

미국은 이런 점에서 볼 때, 있으면 있는 대로 없으면 없는 대로 살 수 있는 곳이다.

가격의 차이가 심하게 나는 이유는 또 다른 데에도 원인이 있다.

예컨대, 내가 미국에 있을 당시 한국의 대우전자가 하청(下請)을 받

싼 물건, 비싼 물건

아 제니스의 상표(商標)를 부쳐 미국에 전량(全量)을 공급한 컴퓨터가 있었다.

성능이나 기능은 미국의 아이비엠 컴퓨터에 못지않을 정도인데 값은 삼분의 일 가격이라서, 이 컴퓨터를 사려고 사람들이, 주로 돈 없는 교수들과 대학원생들이, 몇 개월씩 신청을 해놓고 기다릴 정도로 인기(人氣)가 있었다.

그렇다고 세 배나 비싼 아이비엠 컴퓨터가 안 팔리느냐 하면 그렇지 않다.

그것은 그것대로 잘 팔린다.

아니 팔리게끔 되어 있다.

왜 그런가에 대한 응답은 미국의 조세체계(租稅體系)에 있다.

미국의 조세체계는 자본에 투자한 돈에는 감세(減稅) 또는 면세(免稅) 조치를 해 주도록 되어 있다.

곧, 미국의 조세체계는 돈을 벌면 그것을 재투자(再投資)하도록 유도(誘導)하는 조세체계이다.

따라서 소득을 신고하고 세금으로 내기보다는 그것을 재투자하여 그 부분만큼 감세 조치를 받는 것이 이익인 경우가 많다.

다시 말해서, 회계사 사무실을 운영한다고 하자.

회계사 사무실에는 컴퓨터가 필요한데 컴퓨터를 들여놓는 비용은 투자비용이기 때문에 새로 컴퓨터를 사는 경우 소득에서 그만큼 공제(控除)되고 면세된다.

따라서 회사 이름으로, 또는 투자비용으로 비싼 컴퓨터를 사놓고-- 어차피 면세되거나 감세되니까--그것을 개인적으로 사용하면 된다.

자동차도 마찬가지이다.

회사 이름으로 제일 비싼 자동차를 사 놓고 쓰면 된다.

엄격히 말한다면 회사 자산의 유용(流用)이 되겠지만, 재투자하지 않고 자기 개인소득으로 신고하고 세금낸 후, 자기 소득에서 돈을 주고 싼 컴퓨터나 싼 자동차를 사서 쓰는 것보다는 훨씬 폼도 나고 이익이 되기 때문에 돈을 좀 벌면 세금으로 내지 않고 다 그렇게 한다.

그래서 비싼 물건도 잘 팔린다.

이런 점을 노리고 물건 값에 차등(差等)을 두는 것을 보더라도 미국의 문화가 철저한 자본주의(資本主義)에 바탕을 둔 장사꾼 문화라는 사실을 알 수 있다.

여하튼 장사에 관한 한 도(道)가 텄다.

싼 물건, 비싼 물건

물건 무르기

미국의 문화가 장사꾼 문화임을 보여 주는 또 다른 보기가 있다.

물건을 사면 영수증(領收證)을 주는데, 영수증만 가지고 있으면 언제라도 물건을 무를 수 있다.

물건을 바꿔 달라거나 돈으로 내달라고 하면 친절하게 다른 물건으로 바꾸어 주든지 현금으로 내준다.

그러나 물건을 무르는 사람이나 물러주는 사람이나 그 이유를 말하지도 묻지도 않는다.

물론 물건을 무르는 이유야 여러 가지 있을 수 있다.

물건이 부서졌다거나 흠이 있는 경우도 있을 수 있고, 이웃가게에서 더 싸게 팔기 때문일 수도 있다.

그러나 "단지 '싫다'는 이유보다 더 중요한 이유가 어디 있겠는가?"라는 생각 때문인지 그 어느 경우에도 이의를 달지 않는다.

  또한 물건의 품질 경쟁이나 가격 경쟁을 통해서 상품의 질을 높이고, 판매(販賣) 서비스의 질을 높이며, 그러한 경쟁을 통하여 적절한 이윤(利潤)을 붙이는 이들의 문화는 상당히 합리적인 장사꾼 문화인 것이다.

물건 무르기

좀도둑과
무비 카메라

뿐만이 아니다.

슈퍼마켓 같은 가게에서는 어느 가게든지 물건의 약 10퍼센트 내외가 진열된 상태에서 없어지거나 부서지는데, 이 때 생기는 손실은 다 물건 값에 전이(轉移)된다고 한다.

예컨대, 배고픈 사람은 빵을 집어먹고, 우유를 따서 마시고, 담배를 뜯어 한 개비 피워 물고 유유히 사라진다.

이런 점에서 미국은 마음먹기에 따라서는 결코 굶어 죽을 염려는 없는 나라이다.

향수(香水) 등 조그맣지만 값비싼 물건은 날씬하게 차려입은 예쁜 좀도둑들에 의하여 핸드백 속에 감추어진다.

물론 무비 카메라가 감시(監視)를 하고 있기는 하다.

그러나 카메라에 찍혔다 해도 선뜻 잡아내지는 못한다.

감시용 카메라는 감시하고 있다는 엄포용--그것도 초범자(初犯者)에게만--에 그칠 따름이다.

왜냐하면, 잡아내는 경우의 위험(危險) 부담(負擔)이 크기 때문이다.

만약 물건을 훔치는 것을 발견했다 하여 몸을 수색(搜索)한다고 치자.

물건이 나오지 않으면, 그것은 인격모독죄(명예훼손죄)에 해당된다.

손님이 고소하면 가게 주인은 몇 만 달러를 인격 모독(冒瀆)에 대한 배상금(賠償金)으로 바쳐야 한다.

그렇게 되면 물론 그 사람은 팔자 고치는 게 된다.

다행히 물건이 나오면, 그 좀도둑은 감옥(監獄)으로 가겠지만, 얼마 후에 보석금(保釋金)을 내고 석방(釋放)된다--이것도 돈의 문화를 나타내는 한 징표(徵表)이다.

석방된 후 그 가게에 와서 무슨 짓을 할지 모른다.

총(銃)으로 그냥 갈겨 버리면 주인만 손해다.

그러니, 누가 이런 엄청난 위험을 무릅쓰고 좀도둑을 잡으려 하겠는가?

그냥 물건의 10퍼센트는 으레 없어지는 것으로 치부하고 물건 값을 그만큼 더 매기면 되는 것이다.

이와 같이 가게에서 발생하는 손실은 전부 소비자에게 전이된다.

철저한 장사꾼 문화가 아닐 수 없다.

좀도둑과 무비 카메라

줄 세우기 전략

미국인의 줄서기에서도 우리는 장사꾼 문화의 편린(片鱗)을 읽을 수 있다.

곧, 줄서기에는 노동력의 최대 이용을 위한 경영 전략이 반영되어 있다.

줄서서 기다리는 손님의 불평, 불만이 최대한도에 이르러 다른 곳으로 가지 않을 정도로 기다리게 하면서, 고용 노동력을 최소한으로 줄이고 고용 노동력을 완전 가동할 수 있도록 종업원을 고용한다.

이때의 적정(適正) 인력(人力)을 분석해 내는 정책분석 기법이 줄서기 이론(queuing theory)이다.

다시 말해서, 일하는 양에 빠듯할 정도의 최소 인력만을 가지고 최대한도로 부려먹는 것이다.

미 제국주의

이러한 장사꾼 문화는 대외적(對外的)으로 미 제국주의(帝國主義: imperialism)라 불리는 형태로 나타난다.

그들은 다른 나라를 압박(壓迫)하여 저들의 옥수수, 쇠고기, 자몽, 심지어는 쌀까지도 수입(輸入)하도록 윽박지른다. 걸핏하면 미국 무역거래법(貿易去來法) 301조를 전가(傳家)의 보도(寶刀)처럼 휘두르는 것이 그 예이다.

또한 저들의 경제적 이익을 위해서는 전쟁(戰爭)도 불사(不辭)한다.

저들의 파나마 침공(侵攻)이나, 페르시아 만 전쟁 참여가 그러하다.

전쟁의 참여는 미국의 재벌(財閥)들을 살찌우기 위한 가장 확실한 방법이기 때문이다.

무기(武器) 판매만큼 이익이 많이 남는 장사가 어디 있겠는가?

이익이 남는다는 데야 미국 국민이 전쟁에 나가서 죽는 것은 눈 하나 깜짝하지 않는다.

　재벌들이 전쟁에 나가 죽는 것은 아니기 때문이다.

　미국의 장사꾼 문화가 미국인의 호전성(好戰性)과 결부(結付)되어, 좀 더 정확히 말한다면, 장사꾼(재벌)들이 미국인의 호전성을 잘 이용함으로써 생기는 대외적인 현상이 미국의 전쟁 참여이다.

　가장 경계해야 할 미국 문화의 한 편린인 것이다.

* 4324년 9월 1일 씀.

신용사회:
해결사

미국에 처음 갔을 때, 아파트를 구했는데, 현금을 주니까 아파트 관리 규칙 때문에 현금은 받지 않는다고 하며 수표(手票)를 내란다.

은행 계좌(計座)를 트지 않았는데 수표가 있을 리 없다.

아파트를 소개(紹介)해 준 친구 수표로 대신 아파트 비용을 냈다.

현금을 좋아하는 미국 사람들이 현금을 안 받고 수표를 고집(固執)하는 데는 그 이유가 있다.

현금을 받는 경우, 분실(紛失)과 도난(盜難)의 염려가 있기 때문이다.

수표는 일단 은행의 자기 계좌에 입금을 시킨 다음에야 찾을 수 있기 때문에 얼마든지 추적(追跡)이 가능하다.

따라서 수표는 주워 봐야 아무 쓸모가 없다.

만약 현금을 취급(取扱)하는 가게가 있으면, 그 가게에는 언제 총 든 강도(强盜)가 들이닥칠지 모른다.

신용사회: 해결사

돈만 잃는 게 아니라 잘못하면 목숨까지 잃기 십상이다.

그래서 대부분의 가게에서는 현금을 받지 않고 수표를 받는다.

그것이 목숨을 부지하기 위한 최선의 방법이기 때문이다.

그러나 이것도 예외(例外)는 있다.

주유소(注油所)에서는 대개 수표를 받지 아니하고 카드로 처리하거나 현금을 받는다.

그 이유는 미국에서의 은행이란 도시나 지방마다 중소규모로 독립되어 있기 때문에, 다른 지방의 수표를 받는 경우 결제(決濟)하는 데 많은 시간이 걸리는 까닭이다.

따라서 여행자 수표는 괜찮으나 일반 수표는 받지 않는 경우가 대부분이다.

특히 고속도로 주변(周邊)의 주유소에서는 절대 수표를 받지 않는다.

그렇기 때문에, 주유소에는 현찰(現札)이 많으며, 그래서 강도들이 많이 노린다.

따라서 주유소에서 돈 받고 내주는 회계원으로 일하는 것은 목숨을 내놓고 하는 일이다.

이와 같이 수표가 생활화되어 있기 때문에 미국에서는 은행과 거래(去來)를 하지 않으면 살 수가 없다.

그래서 이사(移徙)를 하면 은행에 계좌를 트는 것이 제일 먼저 할 일이다.

은행 계좌를 트고 수표책을 받아 사용하는데, 은행 예금 계좌에 돈이 없으면 어떻게 되는가?

은행은 그에게 예금통장(預金通帳)에 돈이 비었으니까 언제까지 채워

넣으라고 통고(通告)한다.

만약 부도(不渡)를 내게 되면, 신용(信用)을 잃게 되고 다른 은행에 계좌 트는 것도 불가능해 진다.

그러면 미국에서 생활할 수가 없게 된다.

왜냐하면 앞에서 말한 바와 같이 미국은 수표 없이는 생활할 수 없는 신용사회이기 때문이다.

한편 가게에서는 부도낼 경우를 대비하여 수표를 받을 때 보통 100 달러 이하인 경우, 사용자의 신분증--운전면허증(運轉免許證)과 사회보장카드--만을 확인하지만, 100달러 이상인 경우에는 은행에 조회(照會)해 보는 것이 보통이다.

미국에서 집을 구하면 전화(電話)를 놓아야 하고 전기(電氣)를 켜야 하며 가스를 사용해야 하는데, 전화회사, 전기회사, 가스회사에 전화만 한 통하면 대부분 즉시 사용할 수 있도록 해 준다.

그리고 매달 쓴 만큼 고지서(告知書)가 날라 온다.

만약 사용료(使用料)를 내지 않으면 언제까지 내라고 독촉장(督促狀)이 오고, 그래도 내지 않으면 딱 끊어버린다.

이사를 할 때, 부도를 내거나 밀린 사용료를 내지 않고 떼먹으면 어떻게 될까?

결코 떼먹을 수 없다.

이사한 곳에서 전화, 전기, 가스를 신청하면 신청한 즉시 넣어 주지만, 만약 부도 사실이나 떼어 먹은 사실을 알게 되면 그것을 갚을 때까지 전화, 전기, 가스를 사용하지 못하도록 끊어버리기 때문이다.

미국이란 나라가 굉장히 크고, 은행, 전화회사, 전기회사, 가스회사

신용사회: 해결사

가 각각 지방마다 다르고 독립되어 있는데, 설마 어떻게 알겠는가라고 생각했다간 큰 오산(誤算)이다.

이런 경우를 예상해서 청산회사(clearing agency)라는 회사가 있다.

청산회사(淸算會社)는 회계사(會計士), 변호사(辯護士), 집달리(執達吏) 등의 전문 해결사들을 고용하는 회사로서 합법적으로 빚 받아 주는 회사이다.

곧, 이 회사는 각 전화회사, 전기회사, 가스회사, 은행, 백화점 등으로부터 고객(顧客)에 대한 정보를 수집하여 컴퓨터에 수록(收錄)해 놓고선 정보를 필요로 하는 회사에 돈을 받고 그 정보를 제공하는 한편, 변호사를 동원해 빚쟁이 대신 법원에 고소(告訴)를 하며 법원의 명령을 받아 차압(差押)을 하여 경매(競賣)를 붙인다.

경매에서 생긴 돈 중 청산회사에서 사용한 비용을 제(除)하고 나서, 돈이 남으면 빚을 갚아 주고, 그래도 돈이 남으면 차압당한 사람에게 돌려준다.

미국에서는 개인 우편함(郵便函)에 거의 매일 산더미 같은 상품 광고 선전물들이 쌓인다.

이들 선전물들의 내용은 "전화만 걸면 당장 물건을 보내 주고 대금은 나중에 수표로 부쳐 주면 된다."는 것이다.

만약 물건만 챙기고 돈을 안 보내면 그 회사는 몇 번의 형식적인 독촉 후 당장 청산회사로 달려간다.

그러면 끝나는 것이다.

미국의 문화는 장사꾼 문화이며, 미국의 사회는 신용이 없으면 살아가기 매우 어려운 철저한 신용사회(信用社會)이다. 적어도 보통사람에게는 말이다.

어수룩하면서도 빈틈이 없는 것이 미국이다.

* 1990년 어느 날 씀.

미국인의 가치

자유와
자치

미국에 매력을 느끼는 이유 중의 하나는 미국이 자유로운 사회라는 것이다.

미국의 젊은이들은 대학 진학할 때쯤이면 분가(分家)를 한다.

스스로 벌어 스스로 쓰며 자유롭게 산다. 부모로부터 독립하여 자기 멋대로 살고 싶은 대로 사는 것이다.

그러다가 추수감사절이나 크리스마스 때면 본가로 돌아가 가족들을 만난다.

미국인들은 결코 다른 사람에게 간섭(干涉)하지 않으며, 간섭받기도 싫어한다.

그들은 다른 사람에게 피해를 주지 않는 한 편리하게 생활하는 걸 좋아한다.

이름 지어 "편리(便利)를 위한 자유"를 누린다고 할까.

미국인의 가치

실제로 거리에는 넥타이 맨 사람들이 거의 없다.

거리에 지나가는 사람들을 조사해 보면 알겠지만, 한국의 거리가 미국의 거리보다 넥타이 맨 사람이 아마도 몇 십 배는 넘을 것이다.

대학교수도 간편한 차림으로 다닌다.

예컨대, 우리가 청바지 문화라고 부르는 것처럼 대학교수도 청바지 차림에 티셔츠를 입고 출근(出勤)하고 강의(講義)한다.

물론 일부 근엄한 분들은 정장(正裝)을 하지만 그것도 어떻게 보면 그들 나름대로 그것이 더 편리하게 몸에 배었기 때문이 아닌가 생각한다.

대학 강의실에 잠옷 차림으로 나와 앉아 강의 받는 여학생도 있다.

늦잠을 자다 강의 시간이 다급해서 그랬는지 아니면 뉴 패션인지는 모르지만, 한국인의 눈에는 참으로 눈꼴 신 경우가 아닐 수 없다.

강의실에 잠옷 차림이 있는데, 하물며 개를 끌고 오는 경우가 왜 없겠는가?

아기를 안고 오는 경우도 있다.

물론, 교수에 따라서는 그런 학생에게 주의(注意)를 주는 분도 있기는 하다.

그러나 어떤 교수는 강의하면서 개하고 농담도 한다.

"너도 강의 받으러 왔니?"하면서 강의를 시작한다.

강의 도중에 개는 주인 곁에 넙죽 누워 시원한 에어컨 바람 받으며 코를 골기도 한다.

이때 교수님 왈 "저 녀석, 학점(學點)은 F야!" 하면서 웃기기도 한다.

참으로 아량(雅量)도 넓으신 교수님이다.

자유와 자치

베이비시터 값이 비싸니 그렇겠지만 대여섯 살 난 아이를 데리고 강의실에 들어오는 경우도 보았다.

강의에 방해(妨害)만 안 되는 한 그렇게 문제시되는 것 같진 않다.

대개의 경우, 교수는 별로 개의치 않고 강의를 한다.

그런데 등록금도 안 낸 꼬마가 강의를 듣다가 질문도 한다.

그러면 교수는 친절히 알기 쉽게 차근차근 설명을 해 준다.

결코 무시하거나, 화를 내지 않는다.

아마 화를 내려면 강의 시작 전에 애를 데리고 나가라고 했을 것이다.

많은 사람들이 서로 편하게 사는 것이 미국이다.

이 사람 저 사람 눈치 볼 것 없이 자기 하고 싶은 대로 멋대로 산다.

자기 생활 자기가 하는데 누가 무어라 하겠는가?

속으로는 못마땅할지 모르지만, 직접적인 이해가 얽히지 않는 한 결코 간섭하지 않고 비난(非難)하지 않는다.

종교적 자유를 찾아 대서양(大西洋)을 건너 온 미국의 건설자(建設者)들은 이러한 자유를 보장하기 위해서 미국의 정치제도를 견제와 균형의 원리에 맞추어 설계(設計)하였다.

연방정부와 주정부 그리고 지방정부의 세 개 정부로 구성되어 각각의 고유 영역이 있으며, 원칙적으로는 주민의 자치(自治)에 맡긴다.

또한 각 정부마다 입법, 행정, 사법의 세 부로 나누어서 서로 견제와 균형을 취하게끔 만들어 놓았다.

미국의 지방자치를 보면, 주민들이 공직자(公職者)를 선출(選出)하고 중요한 일들을 결정한다.

그러나 그것은 획일적(劃一的)인 것이 아니어서 각 지방마다 다 다르다.

어떤 지역에서는 시장, 판사, 경찰서장, 소방서장도 주민이 직접 뽑는가 하면, 어떤 지역에서는 시의회의원만 뽑고, 시의회에서 시장을 선출하기도 한다.

또 어떤 지역에서는 직선(直選) 시장이 경찰서장이나 판사를 임명(任命)하기도 한다.

그리고 그 임기(任期)도 지역(地域)마다 다 다르다.

이와 같이 지방자치도 다양한 것이 미국 정치문화의 한 특징이다.

또한 중요한 일들은 그들이 선출한 공직자에게 맡기지 않고 직접 주민투표(住民投票)를 실시(實施)하여 결정하는 경우도 흔하다.

예컨대, 보수적(保守的)인 지역의 주민들은 그 지역에서는 독주(도수가 높은 술: 위스키 종류)를 팔지 못하게 제한하는 법안을 놓고서 투표를 하여 결정한다.

대개 미국 남부 주의 인구 2-3만 정도 되는 보수적인 도시의 경우, 맥주의 판매조차도 낮 12시부터 밤 12시까지 제한하는 경우가 흔하다.

이러한 지역에서 토플리스 쇼(topless show)를 금지하는 것은 당연하다.

만약 독주를 마시고 싶거나, 토플리스 쇼를 보고 싶은 사람은 그것을 허용(許容)하는 지역으로 이사 가서 살면 된다.

반면에 뉴욕 42번가 같은 데는 섹스 숍(sex shop)으로 주민들이 생활해 나가니까 토플리스 쇼 정도는 문제가 아니다.

자유와 자치

한국 사람으로서는 상상도 못할 구경거리가 버젓이 대낮에 공연(公演)된다.

이런 것이 풍기(風紀) 문란(紊亂)이라고 생각하는 사람은 그런 것을 제한하는 지역에 가서 살면 된다.

곧, 절이 싫으면 중이 떠나는 수밖에 없다.

결국 주민들은 자기들이 원하는 대로 모여서 산다.

미국의 자치는, 가만히 보면, 주민들의 자유를 위해서 존재한다.

* 4323년 10월 10일 씀.

직업과
자율성

미국인은 자기의 직업(職業)에 관하여 굉장한 자부심(自負心)을 가지고 있다.

자유를 사랑하는 미국인들은 남에게 간섭받기를 싫어 하지만, 특히 자기 일에 대해 간섭받는 것은 더욱 싫어한다.

한 번은 자동차가 고장(故障)나서 끌고 갔더니, 기술자가 차를 분해(分解)한다.

분해하여 놓고서 다시 조립(組立)을 하는데 억지로 끼어 맞추려 하니 그것이 잘되겠는가?

분해한 역순(逆順)으로 하면 될 것 같은데 그러지 않고 낑낑대는 것을 보다 못해, "아니, 그것은 이렇게 이렇게 하시면 될 것 같은데요."라고 한마디 했다가 얻어맞을 뻔했다.

그 사람 화를 팍 내면서 "이건 내 직업이란 말이요(This is my

job).”라고 고함을 꽥 지른다.

당신이 그렇게 잘 알면 당신이 할 일이지 왜 자기에게 가져왔느냐는 투다.

한마디로 당신 직업이 아니니 간섭 말라는 것이다.

그렇지만 결국은 내가 말한 대로 함으로써 조립할 수가 있었는데 자존심(自尊心)이 상(傷)했는지 쳐다보지도 않는다.

이와 같이 미국인은 자신의 일에 열심(熱心)이며 자기의 직업에 긍지(矜持)를 가진다.

결코 자기 직업을 비하(卑下)하지 않는다.

또한 자기가 맡은 이상 그 일은 자기의 일이며, 결코 남의 간섭을 받으려 하지 않는다.

이러한 문화적 특징은 미국의 정치 행정제도에 있어서 자율권(自律權)으로 나타난다.

미국의 대통령은 각 부의 장관을 임명(任命)하고 해임(解任)할 수 있는 권한을 지니고 있다.

그러나 일단 장관으로 임명하면, 각 부의 일은 장관이 책임을 지고 자율적으로 수행(遂行)해 나간다.

대통령이 장관의 업무에 관해서 간섭하지 못한다.

만약 장관이 하는 일이 마음에 들지 않으면 장관을 갈아치울 수는 있으되 업무에 간섭하지는 않는다.

또한 간섭한다고 간섭받는 장관도 없다.

왜냐면, 그것은 장관이 자율적으로 알아서 해야 하는 일이라는 인식이 미국의 행정문화 속에 배어 있기 때문이다.

미국인의 가치

그러나 장관으로 임명한 지 며칠도 안 되어 계속 갈아치울 수는 없기 때문에, 그야말로 미리 대통령의 뜻과 맞는 사람을 신중(愼重)히 물색한다.

그래서 미국의 관료제(bureaucracy)는 대통령, 의회, 법원에 이어 미국의 제 4부라 한다.

이러니 대통령이 장관을 부려먹기가 쉽지 않다.

그래서 미국의 대통령은 백악관에 각 부서에 해당하는 xx 보좌관 등을 두고 소내각(小內閣)을 구성한다.

미국 각 기관의 자율성(自律性)은 각 기관의 독립성(獨立性)을 의미하며, 그것이 각 부서(部署) 사이의 마찰(摩擦)을 가져오거나, 행정상의 중복(重複)이나 비협조(非協助)로 인한 비능률을 초래(招來)하기도 하지만, 다른 한편으로는 어느 한 기관의 독주(獨走)를 막음으로써 시민의 자유를 보장하는 데는 더없이 좋은 기제(機制)가 된다고 할 수 있다.

                                              * 4323년 10월 10일 씀.

직업과 자율성

돈의
가치

미국인이 가장 가치를 두는 것 가운데 하나가 "돈"이다.

돈을 좋아하지 않는 사람이 어디 있겠는가마는 미국인만큼 돈을 좋아하는 사람들도 없을 것이다.

그래서 그들은 돈만 준다면 무슨 짓이든 다 한다.

정말인지는 모르겠으나, 500달러만 주면 청부살인(請負殺人)도 한다고 한다.

스트립 쇼하는 술집에 가서도 1달러만 집어 들고 손을 까딱까딱 하면 테이블 위에 올라와 춤을 춘다.

그리고 1달러를 받아간다.

미국 돈 1달러가 우리 돈으로는 1,000원도 못되는 돈이지만 그 위력(威力)은 하늘과 같다.

그들은 돈을 좋아할 뿐 아니라 돈에 관한 관념(觀念) 역시 철저하다.

미국인의 가치

물건 값은 전부 X달러 X센트로 표시되어 있고 실제로 1센트(우리 돈으로 약 7원)까지 사용된다.

또한, 친구들과 식사를 하건 술을 마시건 자기 먹은 건 자기가 낸다. 친구들 사이에 돈 10센트(약 70원 정도)를 놓고서 언쟁(言爭)을 벌이기도 한다.

여하튼, 이런 점에서 볼 때 한국 사람들은 너무 돈을 우습게 안다.

5원짜리는 쓰일 데가 없으며 대부분이 100원 단위이다.

어린아이까지도 10원짜리는 받질 않는다.

우리나라에서는 돈을 중시하지 않기 때문에 돈의 가치를 제대로 모르며 낭비와 함께 인플레이션을 유발한다.

따라서 경제가 안정적이지 못하다.

사회적으로 1원 단위까지 쓸 수 있는 사회가 사실은 안정된 사회인 것이다.

그렇지만, 가게에서는 콜라 6통을 1달러 25센트 정도 주면 살 수 있는 데도 불구하고 자판기(自販機)에서 50센트에 한 통씩 꺼내 먹는 이유는 아직도 모르겠다.

* 4323년 씀.

돈의 가치

돈과
직업

미국인은 돈을 좋아하는 만큼 돈 많은 사람을 존경한다.

그래서 의사(medical doctor), 법률가(lawyer), 사업가(businessman)가 가장 선망(羨望)되는 직업이다.

왜냐면 이들의 소득이 높기 때문이다.

약 오 년 전, 그러니까 1985년쯤으로 기억하는데, 한 조사보고서에 의하면, 미국의 외과의사(外科醫師) 임금(賃金)이 한 시간에 평균 73달러이었다고 한다.

이 금액은 외과의사가 수술(手術)을 한다거나 업무를 할 때에만 계산된 것이 아니고, 하루 평균 8시간 일한다고 볼 때 한 시간의 임금으로 계산된 것이다.

그러니까 하루에 약 580달러인 셈이니까, 한 달을 20여일 잡으면 한 달에 12,000달러 정도가 외과의사의 소득인 셈이다.

당시의 최저임금(最低賃金)이 시간 당 3달러 45센트인 것에 견주어 보면 그야말로 대단한 셈이다.

미국에서는 의사가 많이 모자란다고 하면서도, 더 많은 의사를 공급할 수 있는 의과대학(醫科大學) 설립은 하늘의 별따기이다.

왜냐하면, 이러한 고소득을 유지하기 위한 미국 의사협회(醫師協會)의 로비 때문이다.

법과대학(法科大學)의 설립 역시 마찬가지이다.

이들에 비하면 대학교수는 중하(中下)에 속한다.

그것도 정치학(政治學) 교수는 별 볼 일 없다.

정치학 박사학위를 가지면, 대학에서 초임(初任)이 많아야 연봉 25,000달러이다.

경영학(經營學) 교수는 약 45,000달러 내지 50,000달러 정도 받지만 의사나 변호사에 비한다면 새 발의 피다.

그래서 미국의 우수한 학생들은 의대나 법대 아니면 상대를 선호한다.

* 4323년 씀.

돈과 직업

교장 선생님이
하는 일

미국에서 아이들을 초등학교에 보내 놓고서 하루는 찾아갔더니, 교장 선생님이 나이가 새파랗게 젊은 젊은이였다.

나이를 물어보니 25살이란다.

으레 초등학교 교장 선생님은 나이가 적어도 60 가까운 늙수그레한 교육경력(敎育經歷)이 수십 년 되신 분을 연상(聯想)한 우리로서는 뜻밖이었다.

미국의 초등학교 교장은 행정직(行政職)이라서 하는 일이 교사(敎師)의 채용(採用) 및 학교의 관리(管理), 그리고 학교 재정(財政)의 확보(確保)이다.

곧, 교사는 교장과 보통 2년 내지 3년으로 계약(契約)을 하게 되며, 이 때 보수(報酬) 등 채용 조건에 관한 타협(妥協)이 이루어진다.

그 이외에 교장이 해야 할 중요한 일거리는 학교 재정을 확보하는 일이다.

물론 정부로부터 보조금(補助金)도 받지만, 바자회를 열기도 하고, 아동용 도서(圖書)를 판매(販賣)하기도 하며, 자동차 세차(洗車) 등을 하여 돈을 모으기도 한다.

예컨대, 도서관에 슬기틀(computer)을 들여놓으려면, 필요한 돈을 학부형(學父兄)이나 지역 유지(有志)들로부터 기부금(寄附金)을 받거나, 바자회를 열거나, 아니면, 통조림 깡통의 겉에 붙어 있는 할인권(그것을 제시하면 물건 값을 거기에 적혀 있는 대로 깎아 주는데, 10센트 내지 20센트 정도가 보통이다) 따위를 일 년 내내 모으기도 한다.

아마 한국의 학교 같으면, 학교를 통하여 책 팔아먹고 잡부금(雜賦金) 걷는다고 난리가 날 것이다.

이와 같이 재정 확보를 잘하는 교장이 유능(有能)한 교장으로 평가된다.

대학도 마찬가지이다.

미국에서 대학 총장(總長)의 능력은 학교를 위해서 얼마나 많은 돈을 끌어올 수 있느냐에 있다.

많은 돈을 끌어와서 도서관에 책도 많이 사 넣고, 슬기틀도 들여놓고, 많은 보수를 미끼로 좋은 교수도 모셔오고 해야지만 유능한 총장이 될 수 있다.

주립대학(州立大學)의 경우에는 예산이 주의회(州議會)에서 논의되기 때문에 주의회 의원에 대한 총장의 로비 능력은 총장 선임(選任) 때 가장 중요하게 고려(考慮)되는 요인 중의 하나이다.

마찬가지로 유능한 학장은 학교 당국으로부터 많은 예산을 자기가

교장 선생님이 하는 일

속해 있는 단과대학(單科大學)으로 뺏어 오는 사람이다.

유능한 학과장 역시 마찬가지이다. 학과로 예산을 많이 가져 올 뿐 아니라, 가지고 온 예산을 잘 사용하여야 유능하다는 소리를 듣는다.

이와 같이, '돈'은 미국에서 행정 능력을 판단하는 가장 중요한 기준 중의 하나이다.

참으로 돈을 좋아하는 나라의 행정이다.

미국 대통령의
힘

돈의 위력은 그대로 미국의 정치나 행정 행태(行態)에도 반영된다.

미국적 문화에서 돈이란 곧 권력이요, 지위이다.

예컨대, 현재 미국 연방(聯邦) 대통령의 권력은 막강(莫强)한데, 이를 뒷받침하는 것이 곧 연방정부의 돈(재정)이다.

미국의 연방 대통령이 강력한 힘을 가지게 된 것은 19세기 말경부터이다.

연방정부의 수입은 주로 소득세(income tax)에 의존하는데, 19세기 말부터 산업이 발달하고 소득이 증가함에 따라 연방정부는 많은 돈을 가지게 되었고, 그 돈으로 지방정부나 주 정부를 통제할 수 있게 되었기 때문이다.

실제로 그 이전의 연방정부 대통령은 주지사(州知事)만큼도 인기가 없었다.

왜냐하면, 연방정부의 재정이 주 재정보다도 빈약(貧弱)했던 까닭에 연방 대통령 말씀이 주 정부에 전혀 먹혀들지 않았기 때문이다.

예컨대, 미국의 남북전쟁 이후 북부군의 영웅(英雄)이었던 그랜트 장군(將軍)은 연방 대통령에 입후보하라고 하자 "주지사를 하면 했지, 왜 연방 대통령을 하느냐?"며 거절(拒絶)했다 한다.

미국 정부는 세 개의 정부--연방정부, 주 정부, 지방정부--로 구성되며, 서로 견제(牽制)와 균형(均衡)의 원리가 적용된다.

이때의 견제와 균형에도 '돈'의 힘이 작용한다.

예컨대, 고속도로 속도 제한 정책을 연방의회에서 통과시켜 연방 대통령이 사인했다고 해서 주정부를 구속하지는 못한다.

그것이 각 주에서 효력을 발생하려면 똑같은 내용의 법안이 각 주의 주 의회를 통과하여 주지사의 사인을 받아야 하는데, 이 때 돈의 힘이 위력을 발휘한다.

곧, 미국의 연방정부가 주 정부로 하여금 연방정부에서 통과된 고속도로 속도 제한에 관한 법을 따르도록 강제할 수 있는 유일한 방법이 돈이다.

연방정부는 법안(法案)을 통과(通過)시킬 때, "연방정부의 법안을 따르는 주정부에 한해서 고속도로 보수에 필요한 경비의 일부분을 보조(補助)한다."는 부칙(附則)을 달아 놓는다.

그러면, 주 정부의 경우 연방정부의 보조를 받기 위해 할 수 없이 연방정부의 법안과 같은 내용의 법안을 주 의회에서 통과시킬 수밖에 없다.

만약 주 정부가 돈이 많고 주민(州民)들이 고속도로 속도 제한을 찬성하지 않는다면, 연방정부의 법안을 따르지 않는다.

따라서 그 주에 속해 있는 고속도로에서는 신나게 달려도 속도 제한에 걸리지 않는다.

다만 신나게 달리다가 옆의 주에 들어서면 교통순경이 자기 주의 수입을 늘리려고 스피드건을 들고 서 있다가 넘어 오자마자 재까닥 속도위반 딱지를 뗀다.

이와 같이 미국의 정부체제는 돈에 의하여 움직여 나간다. 사람을 움직이건 정부를 움직이건, 물리적 강제력이나 어떤 명분보다는 돈에 의존하는 나라가 미국이다.

돈을 좋아하는 그래서 돈의 힘을 아는 사람들의 나라답다.

그렇기 때문에 미국의 정치인들은 처음부터 이해관계를 노정시킨다.

미국의 정치인에게는 실리가 곧 명분이다.

그래서 미국의 실용주의는 생활에서 가장 중요한 가치 기준이 된다.

반면에 한국의 정치인은 이해관계를 감추려고 한다.

한국에서는 명분은 명분이고, 실리는 실리인 까닭이다.

더욱이 명분을 숭상(崇尙)하고 실리를 우습게 보는 전통이 있는 까닭에, 이러한 것을 잘 아는 한국의 정치인은 자기들의 이해관계를 충분히 은폐(隱蔽)시킬 수 있는 명분 찾기에 혈안이 되어 있다.

한마디로 한국인은 명분에 약하다.

한국의 문화가 체면의 문화이고 명분의 문화인 까닭이다.

* 4323년에 씀.

미국 대통령의 힘

젊음

미국인이 가치를 두는 것 중의 또 하나는 "젊음"이다.

미국은 젊은 나라이다.

역사로 보거나 힘으로 보거나 젊다.

그래서 그런지 미국인들은 젊음을 좋아한다.

그래서 미국에서는 늙으면 별 볼 일 없다. 노인복지가 잘되어 있는 편이긴 하지만 늙으면 서럽다.

특히 한국인의 눈으로 보면 더욱 그러하다.

미국의 젊은이들은 대학 진학 할 때쯤이면 이산가족(離散家族)이 된다.

그리곤 추수감사절(秋收感謝節)이나, 크리스마스 때에나 부모를 찾아 가족이 상봉(相逢)한다.

젊음의 힘이 있기에 부모보다도 자유를 더 소중히 여기는 까닭이다.

미국인의 가치

'젊음'은 '강함'을 의미하며 '승리'를 나타낸다.

젊음에 가치를 두는 미국인들은 강한 것을 좇으며 약한 것을 멸시(蔑視)하는 데 길들여져 있다.

그래서 미국이 강한 나라인지도 모른다.

마약, 살인, 강간, 히피 등 금방 나라가 망할 것 같은 온갖 악(惡)에 물들어 있는 데도 불구하고 미국이 망하지 않는 이유 중의 하나가 바로 여기에 있는지도 모른다.

그런 까닭에, 미국인들과의 관계에서 이쪽의 약한 면을 보여서는 손해 보기 십상이다.

그들 앞에서는 모르면서도 아는 체, 약하면서도 강한 체해야 대접을 받는다. 때로는 이쪽이 강하다는 것을 보여 주어야 한다.

그렇지 않으면 멸시받는다.

이는 개인적인 관계에서뿐만 아니라 국가 간의 관계에서도 마찬가지이다.

미국인의 좋은 점 중의 하나는 타협에 길들여져 있기 때문인지, 문화적 다양성 때문인지, 상대방의 말을 어느 정도 잘 받아들인다는 점이다.

곧, 그들은 상대방을 인정해 준다.

따라서 그들에게 항의(抗議)할 것은 강력히 항의하고 내 주장(主張)은 내 주장대로 굽히지 말아야 한다.

그러나 주장을 하지 않는 상대방은 우습게 본다.

어렸을 적부터 자기주장을 내세울 수 있도록 교육되기 때문인지 자기주장이 없는 사람은 바보 취급을 당하기 쉽다.

젊음

미국 텔레비전을 보라.

여자들도 이야길 잘한다.

말 못해서 죽은 사람은 없는 것 같다.

한국인의 겸손(謙遜)은 이들의 문화에서 전혀 통하지 않는다.

＊ 4323년에 씀.

섹스

미국 사람들은 젊음에 가치를 두면서 다른 한편으로는 섹스에 가치를 부여한다.

미국의 상업주의(商業主義)는 젊고 예쁜 여자, 곧, 섹시한 여자를 광고에 등장시킨다.

섹시한 것은 미국인에게 최대의 매력(魅力)이며, 젊은이들, 특히 젊은 여자들이 동경(憧憬)하는 하나의 이상(理想)이다.

미국 젊은이들은 섹시하기만 하면 팔자를 고친다.

머리가 텅 비어도 상관없다.

섹시한 것 자체가 곧 밑천이기 때문이다.

섹시한 몸매는 젊은 경우의 한 때이겠지만, 어찌되었든 값이 나갈 때 값을 올려놓아야 한다.

그래서 미국의 여자들은 섹시하게 보이려고 무척 노력을 많이 한다.

말소리도 섹시하게 하느라고 약간 코맹맹이 소리를 섞고 말꼬리를 끈다.

또한, 날씬하고 젊고 예쁘게 보이기 위해 눈물겨울 정도로 노력을 한다.

먹고 싶은 사탕도 안 먹고, 초콜릿도 참는다.

한국인들이 김치나 된장에 중독되어 있듯이 미국인들이 먹지 않고 못 사는 것 가운데 하나가 콜라인데, 콜라도 설탕이 안 들어간 다이어트 콜라만 마셔야 한다.

그리고 새벽마다 조깅에, 에어로빅을 거르지 않는다.

만약 조금만 이를 어겨도 그들의 섹시한 몸매는 금방 불어나기 때문에--아마 체질(體質)이 살찌는 체질인 모양이다-- 그야말로 피나는 노력이 있어야 섹시한 몸매를 유지(維持)할 수 있다.

실제로 도서관 같은 데에 앉아 있는 여자들을 보면 얼굴이 갸름하니 너무 예쁜데, 일어날 때 보면 허벅지가 두 팔로 껴안아야 할 정도로 살이 찐 것을 알고 괜히 실망(失望)하는 경우가 흔하다.

미국여자들은 "너, 참 예쁘다(You are very beautiful)."는 말보다 "너, 섹시하구나(you are sexy)."라는 말을 듣기를 원(願)한다.

섹시하다는 말은 예쁘다는 말보다 훨씬 더 여성을 칭찬(稱讚)할 때 쓰이는 찬사(讚辭)의 말이다.

이 말은 "성적인 매력을 풍긴다."는 의미도 있지만, 바로 그렇기 때문에 "(여)성답다."는 의미로 사용되는 것 같다.

어찌됐든 한국식으로 보면 점잖은 말은 아닌 것 같은데, 미국의 대중문화 속에서 이 말은 여성에 대한 최대의 찬사(讚辭)로 자리 잡고 있

미국인의 가치

다.

심지어는 텔레비전 일일 연속극에서 머리가 허연 아버지가 외출(外 出)하는 딸에게 "너 오늘은 특별히 섹시하구나(you are extraordinary sexy today)."라는 말을 할까.

그러면 딸은 "고마워요, 아빠(Thank you, daddy)"하면서 아버지 목에 매달려 기뻐서 폴짝 폴짝 뛴다.

한국의 문화에 젖은 사람으로서는 이 말이 비록 여성을 사심 없이 칭찬할 때 쓰이는 대중적(大衆的)인 말이라는 것을 알고 있어도 사용하 지 못한다.

한국 여자의 경우 이 말을 들으면 막 화를 낸다.

천(賤)해 보인다고 생각하는 까닭이다.

미국 여자의 경우에는 방글방글 웃으면서 기분이 좋아져서 입이 헤 벌어진다.

쓴 이도 미국에 있는 동안 이 말을 한 번 써먹어 보려고 무척 노력 을 해 보았으나 입에서 떨어지지 않아 결국 관두었다.

그런데 초등학교 1학년에 입학한 우리 막내 녀석은 "섹시 걸, 섹시 걸(sexy girl, sexy girl)"하면서 주저(躊躇)없이 흥얼거린다.

물론 "섹시 걸"이라는 이 노래가 그 당시 유행한 유행가(流行歌)이긴 하지만, 그리고 그 녀석이 뭘 알고 흥얼거리진 않았겠으나, 자라나는 문 화의 차이가 이런 것이구나 하고 새삼 느낀 적이 있다.

* 4323년 씀.

섹스

미국인의 생활

맞벌이

미국인들의 생활을 보면, 부부가 다 직업을 가지는 경우가 대부분이다.

왜냐하면, 부부가 함께 벌어야만 간신히 생활할 수 있는 까닭이다.

미국에서의 최저임금은 시간당 3달러 45센트인데, 시간당 5달러씩 번다고 해도 하루 8시간씩 주 5일간 일해서 한 달 내내 버는 돈은 고작 800달러가 채 안되기 때문이다.

여기에서 자동차 기름 값, 월부금 등등을 제하면, 순소득은 500달러도 안 되는 경우가 많다.

한국인 같으면 500달러 가지고 부부가 한 달을 충분히 살 수 있다.

가게에 가면, 소의 무릎뼈나 쇠꼬리가 아주 싸다.

이를 사다가 곰국을 끓이면 처음에는 기름기 뜬 국물이 나온다.

뼈에 붙어 있는 살코기는 술 한 잔에 안줏감으로 그야말로 일품이니 술과 더불어 제일 먼저 없어진다.

국물은 밥 말아 먹고 뼈는 또 다시 끓인다.

끓이면 끓일수록 뜨물 같은 우유 빛 진국이 나온다.

우리나라 사람은 아무리 적어도 한 대여섯 번은 우려먹는다.

검소한 까닭도 있지만, 그 맛을 아는 까닭이다.

그러니 일주일은 까딱없다.

그러나 미국인들은 이와 같은 요리법을 모르기 때문에 한 번 끓여서 수프로 만들어 홀짝 먹어버리고는 내버린다.

한국인은 쇠고기 서너 근짜리를 사오면, 그것을 딱 일곱 덩어리로 쪼개어 다섯 덩어리는 냉동실에 넣고, 한 덩어리는 내일을 위해 냉장실에 넣고, 나머지 한 덩어리는 파, 마늘, 간장 등 양념 묻혀 지지고 볶고 맛있는 냄새는 다 풍기면서 신나게 먹는다.

그래서 맛있게 일주일 동안 먹을 수 있다.

그러나 미국인들은 똑같은 고기 덩어리를 반 정도 뚝 잘라서 양념할 것도 없이 오븐(oven)에다 넣어서 구워 가지고는 썰어서 그냥 소금에 찍어 먹는다.

다 먹지 못하고 남는 것은 미련 없이 버린다.

냉장고에 넣어둔 반 덩어리는 이삼일만 지나면 색깔이 바뀐다.

그러면 역시 그냥 쓰레기통에 버린다.

그리고 다시 고기를 사온다.

한국인은 과일을 한 봉지 사오면, 며칠에 나누어 잘 보관했다가 먹는다.

그러나 미국인들은 한 입 베어 먹고 그냥 놔두었다가 한 이틀 지나

맞벌이

면 역시 재까닥 쓰레기통 행이다.

그러니 500달러 정도로 가족이 어떻게 살겠는가?

아이가 있으면 더 어렵다.

애기보기(baby-sitter) 값이 적어도 아이 하나에 150달러 내지 200달러 들기 때문이다.

그래서 부부가 다 일을 한다.

둘이 일을 한다 해도, 한 달 내내 뼈 빠지게 벌어야 간신히 1,000달러 내외의 순수입이 보장된다.

여기에서 집세 400달러(도시에서는 훨씬 비싸고 시골에서는 이보다 조금 싸다) 주고 나면 500달러 남는데, 그것으로 먹을 것 사고, 그리고 문화생활을 하여야 한다.

이들은 이런 생활방식을 바꾸지 않는 한, 계속 찌들려 살아야 한다.

그것을 보면 한국인은 참으로 슬기롭고 부지런하며 머리도 좋고 열심히 산다.

너무 여유가 없는 게 흠이긴 하지만.

* 4324년 8월 31일 씀.

계속해서
"아이 러브 유"

앞에서 이야기 한 바와 같이 여자들도 대부분 일을 한다.

여자들도 돈을 버니 경제권을 가지게 되고, 혼자서도 살 수 있다는 믿음이 생겨서 그런지 여자들의 발언권이 강해 질 수밖에 없다.

그리고 툭하면 이혼한다.

부부가 함께 가정을 이루어 생활을 하지만 그것은 한국의 가정과는 좀 다르다.

그들은 함께 살면서도 '우리'라는 관념이 아주 약하다.

개인주의적 사고방식에 젖어 있는 까닭이다.

부부간에 서로 처지를 이해해 주는 것은 한국인보다 훨씬 잘하지만, 그 밑바탕에는 어디까지나 '너는 너'고 '나는 나'라는 생각이 깔려 있다.

그래서 항상 사랑을 확인해야만 한다.

출근할 때나 퇴근해서나, 만날 때마다 남이 보건 말건 껴안고 키스를 한다.

그렇게 확인하고 나서도 마음이 안 놓이는지 말끝마다 '아이 러브 유'다.

잠자기 전에도 '아이 러브 유' 새벽에 눈뜨자마자 제일 먼저 하는 말도 '아이 러브 유'다.

밤사이에 마음이 변하지 않았는지 확인해야 되기 때문이다.

이들은 사랑을 확인하면서 산다.

그러면서 이혼도 잘한다.

그리고 또 결혼한다.

옛날 옛적에는 미국에서도 부부가 이혼하는 경우가 드물어서, 이혼한 가정의 어린이들이 심리적 타격을 받게 되고, 그것이 전문 사회사업가들의 도움을 받아 해결하여야 할 문제였다.

그러나 지금은 이혼한 부부가 하도 많아서 오히려 이혼 안 하고 사는 부부가 이상할 정도이다.

옛날에는 이혼한 홀아비나 홀어미, 또는 의붓아버지나 의붓어머니 밑에서 사는 것을 부끄러워하고 숨기려 했지만, 지금은 초등학교에서 친구들끼리 까놓고 버젓이 이야기한다.

손들어 보라고 하면 약 반이 넘는다.

따라서 그런 생활이 일반화되어서 그런지, 아이들도 그렇게 크게 정신적으로 상처를 입지는 않는 것 같다.

그리고 심리적 충격을 받았다 해도 곧 회복된다.

주위에 비슷한 처지에 있는 동무들이 많은 까닭이다.

* 4324년 8월 30일 씀.

미국인의 생활

집세는 못 내도
스키는 타야 돼!

미국인은 돈이 있으면, 먹는 데 우선 쓰고, 그 다음에는 즐기는 데
쓴다.

그리고 그 다음에야 집세 걱정을 한다.

우리 옆 동 아래층에는 미국인 이혼녀가 다섯 살 난 머슴아 하나를
데리고 살고 있는데, 어느 날 이 여자가 엉엉 울고 있어서 왜 그러냐고
물어 봤더니, 학교 주택국--우리가 살고 있던 집은 학교 아파트였다--
에서 몇 달치 밀린 집세를 X월 X일까지 내라고 독촉장이 왔다는 것이
다.

그런데 그것을 못내 이 엄동설한에 쫓겨나게 되었다고 서럽게 울고
있는 것이었다.

그래서 사연을 들어보니, 자기 순수입이 한 달에 600달러 정도 밖
에 안 되는데, 최소한 300달러 정도는 먹는 데 들어가고, 100달러 정

도는 아이한테 들어가며, 볼링하고 스키 타는 데(여름에는 골프 치는 데) 적어도 200달러 정도가 들어가니, 아프기라도 한 날에는 병원에도 못 갈 형편인데 어떻게 집세를 내느냐는 것이다.

한국인 같으면 600달러 수입에서 우선 집세 230달러--학교 아파트라 시내보다 아주 싸다--부터 내고, 먹는 것을 대폭 줄이고 취미생활은 아예 없애버리고, 잘하면 저축까지도 하고 충분히 살 수 있는데 전혀 사고방식이 달랐다.

그래서 시에 파견되어 있는 사회복지청(Department of Human Service)에 소득을 증명하는 서류--예금 통장--를 가지고 가서 이야길 해보라고 권하면서 위로했더니, 그 다음 날 오후에는 아주 해피(happy)해져 있었다.

사회복지청에 가보았냐고 물어 보았더니, 갔다 왔다는 것이었다.

나한테 한 이야기를 그대로 했더니 사회복지청 직원이 연신 고개를 끄떡이면서, "야, 정말 그렇겠구나, 그 동안 어떻게 살았냐? 참 안됐다." 하면서 주택보조비를 보내 주기로 하여 문제가 해결되었다는 것이다.

집세는 못 내도 스키는 타야 하고 볼링은 쳐야겠다는 사람이나, 이 주장에 고개를 끄떡이며 맞장구치는 사회복지 담당자나 역시 미국인이다.

의식주뿐만 아니라 문화생활을 즐기는 것은 미국인의 기본적인 생활권으로서 당연한 것이다.

한국인의 눈으로 볼 때, 기막힌 일이 아닐 수 없으나, 다른 한편으로는 참으로 부러운 일이 아닐 수 없다.

* 4324년 8월 30일 씀.

불가사의: 자동차 귀신

미국인들은 줄을 잘 선다.

슈퍼마켓에서나 은행에서나 관공서에서나 어디에서나 줄을 선다.

그리고 아무런 불평 없이 기다린다.

이러한 현상 역시 그들의 대륙적인 기질, 곧 서두르지 않고 느긋한 기질을 보여 주는 것으로 생각할 수 있다.

그런데도 불구하고 미국인들은 차만 타면 성질이 급해진다.

그 느긋하던 사람들이 무엇이 그리 바쁜지 도로에 나서기만 하면, 빨리 가려고 아우성이다.

씽씽 달리면서 추월하고, 빵빵거리고, 투덜거리고, 아마도 자동차에는 이상한 귀신이 붙어 있는 모양이다.

이런 점 한국에서나 별다름 없다.

예컨대, 신호등 앞에서 신호가 바뀌었는데도 조금만 꾸물대면 뒤에서 빵빵거리고 난리를 치는 것은 마찬가지이다.

그러나 노란 신호등이 켜질 것을 예측하여, 중앙선을 침범하면서 왼쪽으로부터 갑자기 자동차가 튀어나오는, 한국에서는 흔히 볼 수 있는 그러한 자동차 묘기만큼은 아직 보지 못했다.

이런 것을 보면 한국의 운전사들은 기가 막힌 재주를 가지고 있는 것이다.

* 4324년 9월 14일 씀.

존경받는 경찰

미국의 경찰은 국민들로부터 신뢰를 받고 있다.

미국에서는 장래 희망을 물으면, 커서 순경이 되겠다고 대답하는 아이들이 많다.

어떠한 일이든 문제가 생기면 순경 아저씨를 찾는다.

그만큼 경찰이 국민들에게 친절히 봉사하는 까닭이다. 말 그대로 민중의 지팡이이다.

하루는 저녁 어둑해질 무렵 우리가 살고 있던 아파트에서 정전이 되었다.

정전된 지 불과 3분도 안되어 '앵'하는 소리가 나더니 경찰차가 한 대 우리 아파트 앞에 와서 멈추었다.

웬일인가 하고 있으려니 우리 집 문을 두드리는 것이 아닌가?

문을 열어 주었더니, 나보고 신고하지 않았느냐고 묻는다.

존경받는 경찰

그런 일 없다고 했더니, 옆 집 문을 두드린다.

왜 그런가 의아하여 내다보고 있자니까, 이웃집의 톰이 나오더니 자기가 경찰에 신고했다는 것이다.

무슨 일인가 경찰이 묻는데, 톰의 대답인즉, 갑자기 불이 나갔다는 것이었다.

그러자 경찰이 양 손바닥을 하늘로 향하면서 어깨를 으쓱하고는 대뜸 한다는 말이 "그래서 내가 어쩌란 말이냐?"였다.

대단히 어이가 없었던 모양이다.

그리고는 아파트 관리실로 가서 정전 사실에 대해 알아보고는 되돌아와 두꺼비집의 퓨즈가 나가 고치고 있으니, 곧 전기가 들어올 것이라고 친절히 말해 주고는 경찰차를 타고 휙 가버린다.

아파트에서 정전된 것을 가지고도 경찰에 연락을 하는 것을 보면 경찰이 얼마나 주민들과 친근한가를 알 수 있다.

무슨 일이든 신고만 하면 경찰차가 즉시 달려오게 되어 있고, 또 여지없이 달려온다.

그리고 순경아저씨는 무슨 일이든지 자신이 할 수 있는 한 친절히 돌봐 주는 것을 자신의 직업으로 알고 있다.

그러나 한국의 경찰은 국민들이 피하는 존재가 될 만큼 우선은 무섭고 권위적으로 느끼는 것이 일반적이다.

순경아저씨에게 길을 물으려 해도 괜히 가슴이 떨리는 것은 무슨 까닭일까?

* 4324년 어느 날 쯤.

미국인의 생활

미국의 인종차별

미국이라는 나라는 아직도 인종차별이 존재한다.

미국에서는 백인이 제일 우월하고, 황인이나 흑인 등 유색인종은 차별을 받는다.

특히, 미국 남부의 경우에는 아직도 이러한 경향이 많이 남아 있다.

미국 남부의 흑인들은 비교적 온순하다. 노예 생활의 역사를 통하여 길들여져 있다고 할까?

반면에 북부의 흑인들은 난폭한 경향이 있다.

공식적으로는 인종차별이 금지되고 있지만, 아직도 눈에 보이지 않는 인종 차별이 엄연히 존재한다.

하루는 이 학교에 온지 얼마 안 되어 중고등학교 동창인 김OO 군 부부를 만났다.

김OO 군 아버님은 대전고등학교 때 윤리 선생님이었고 성품이 인

자하고 온화한 분이셨다.

OO인 서울 농대를 나와 주식회사 진로에 취업을 하여 일하다가 유학을 온 것이다.

김OO 군 부인은 미국 시민권을 가지고 있는 한국인 간호사였는데, 하루는 인종차별(discrimination)에 관한 이야기가 나왔다.

"아, 글쎄, 경력도 오래 되고, 솜씨 좋은 것도 인정은 해요. 그렇지만, 궂은 일만 골라서 시켜요. 알맞은 일자릴 달라고 아규(argue: 항의)해도 소용이 없어요."

"그러면, 왜 법원에 슈(sue: 고소)하지 않나요? 미국인들은 걸핏하면 슈하잖아요?"

"법원에 슈하면 이긴다는 것은 알지요. 그렇지만 실제로 그렇게 하지 못해요."

"아니, 왜요?"

"법원에 가지고 가면, 물론 이기지요.

그러나 그렇다고 차별이 없어지지는 않아요. 일하는 데 계속 따돌림 받지요.

겉으로 나타나지 않게 계속 차별하면서 눈총을 받으니 아무리 재판에 이겨 봐도 소용이 없어요.

상급자의 근무성적 평정은 물론 나쁘게 나오고요.

결국 그 직장을 그만두고 다른 데로 옮겨야 하는데, 새 직장 찾기가 그리 쉬운가요?

새 직장으로 옮기려면, 전에 있던 병원의 상급자에게 추천서를 받아야 하는데 추천서를 잘 써 줄 리도 없고, 설사 잘 써 준다 해도 채용하는 병원에서 슈(sue)한 사실을 알면 또 다시 말썽이 생길까 봐 다른 사람을 쓰지요.

그러니 살기 위해서는 어쩔 수 없이 차별을 감내할 수밖에 없어요.

그러려니 하고 사는 것이 오히려 속 편해요."

이 이야기를 듣고 보니, 미국에서 인종차별을 아무리 제도적으로나 공식적으로 없애려 해도 그렇게 쉽게 없어지지는 않을 것 같다.

아마도 링컨이 이런 사실을 알면, 무덤 속에서 어떤 표정을 지을까?

* 4324년 8월 30일 씀.

미국의 인종 차별

미국의 아동 보호

미국에서는 아동 보호가 아주 철저하다.

아기를 가지게 되면, 그 때부터 산모와 아기에 대한 보호가 시작된다.

소득 수준이 낮은 사람은 신청하기만 하면, 임신한 때부터 산모의 건강을 무료로 체크해주고, 매달 충분히 먹을 수 있을 정도의 우유, 치즈, 과일, 시리얼 등을 무료로 공급해 준다.

따라서 부모가 소득이 없더라도 학교에 들어가기 전까지 아동들이 먹고 사는 데는 별 지장이 없다.

학교에 들어가면 연방정부의 자유급식제도(free-meal plan)에 의해 소득이 낮은 집안의 자녀들에게 영양 관리가 잘되어 있는 음식이 무료로 공급되며, 따라서 아침 점심은 해결된다.

아이를 때리는 것은 그 누구를 막론하고 금지되어 있다. 만약 아이를 때리면 그것은 아동학대죄에 해당한다.

따라서 부모도 아이를 때리지 못한다.

아무리 교육적 목적이라 하더라도 아이를 때리면 감옥에 처넣기 때문에, 종아릴 때리진 못하고 방에다 가두어 놓고 밖에서 문을 잠가버린다.

그러면 아이는 혼자서 몸부림치며 울다 울다 잠이 든다.

따라서 아이들도 방에다 가두어 놓는 것을 제일 무서워한다.

그런데 그 처량함이란 이루 말할 수 없는 것이어서 종아릴 때리는 것보다 오히려 더 아동학대에 해당되는 것 같은데도 감금하는 것은 사회적으로 용인되니 이상한 일이다.

오히려 회초리로 종아릴 때리는 한국식이 훨씬 인간적이라고 느낀다.

미국에 이민 온 한국 사람이나 유학생들은 이러한 풍습을 잘 몰라 말썽을 일으키는 경우가 종종 있다.

종아릴 맞으면, 자국이 생기게 되고, 회초리 자국을 본 사람은 반드시 경찰에 신고하게끔 되어 있다.

학교 교사나, 의사, 간호원, 경찰, 사회사업가, 보모 등이 학대당한 (회초리 맞은) 아동을 보고도 경찰에 신고하지 않으면 그것은 직무유기가 된다.

따라서 이들은 아동이 맞았다는 사실을 알면 즉각 경찰에 신고하도록 사회화되어 있다.

뿐만 아니라 부모한테 맞으면 제 발로 경찰서로 가 문을 두드리는 아이들도 있다.

미국의 아동 보호

자기 부모 감옥에 처넣으라고!

쓴 이도 유학 생활 중에 감옥에 갈 일이 몇 번이나 있었지만, 들키지 않아서, 그리고 우리 아이들도 스스로 신고할 줄 몰라서, 얼마나 다행이었는지 모른다.

아이들에게는 보호자가 항상 필요하다.

14세가 될 때까지는 아이들만 집에 놓아두지 못한다.

반드시 아이들을 보호할 사람이 있어야 한다.

그래서 부부가 일을 나갈 땐, 아이들을 탁아소에 맡기거나, 애기보기(baby- sitter)를 두어야 한다.

만약 그렇게 하지 않으면, 아이를 뺏겨버린다.

두(頭)당 이만 달러부터 사만 달러: 유괴

미국 여자들은 아이 낳기는 싫어해도 아이 기르는 것은 재미있어 한다.

아이들 재롱떠는 것이 텔레비전보다도 재미있으니까 배는 고통, 낳는 고통 없이 살아있는 텔레비전을 즐기고 싶어 하는 까닭이다.

그래서 아이들을 입양하여 키우고 싶어 한다.

그러나 아이가 없다.

따라서 수요 공급의 법칙이 지배하는 미국에서는 아이에 대한 수요는 늘고 공급은 안 되니까 아이의 값이 뛸 수밖에 없다.

그래서 어린이 유괴가 많다.

아이들 몸값이 두(頭)당 이만 달러(흑인의 경우)에서 사만 달러(백인의 경우)로 암시장이 형성되어 있으니까 유괴범들에게는 수지맞는 장사이다.

두(頭)당 이만달러부터 사만 달러: 유괴

그러니 유괴범이 날뛸 수밖에.

슈퍼마켓에서 물건을 사면 종이 봉지에 넣어 가지고 오는데, 그 종이 봉지는 유괴된 어린이를 찾는 광고로 도배되어 있는 경우가 흔하다.

만으로 다섯 살이 되면 아이들이 학교에 가게 되는데 학교에서 처음 가르치는 것이 유괴범에 대한 교육이다.

만약 모르는 아저씨나 아줌마가 사탕을 손에 들고 "사탕 줄께, 이리온!" 하면, 우선 크게 두 발자국을 뒤로 떼어놓고, 도망갈 준비를 한 뒤에 대답하라고 가르친다.

어느 날 저녁 땅거미가 짙게 내려앉을 무렵 한국인 대학교수의 아들을 길거리에서 만났다.

그 아이는 중학교에 다니는데 등치가 커서 아이처럼 보이지도 않는 녀석이었는데 미국에서 태어나 미국에서 컸기 때문에 우리말을 잘 모른다.

차를 태워 주려고 "헤이, 브라이언!" 하고 불렀더니 이쪽을 힐끔 보고는 골목으로 쏜살같이 달아났다.

그 날 그 교수님 댁에 가서 왜 그리 도망갔느냐고 물었더니 유괴범인줄 알았단다.

어둑어둑해서 그럴 수도 있으려니 하였지만, 내심 쓴웃음을 짓는 일이었다.

이와 같이 아동을 보호하는 실질적인 이유는 미국 국민의 구성이 속지주의(屬地主義)에 있기 때문에 비록 적국의 아이라 할지라도, 예컨대 러시아 인이 미국에서 낳은 아이들이라 하더라도, 앞으로 미국 시민이 될 수 있다는 생각이 깔려 있는 까닭이다.

미국인의 생활

곧, 미국을 이끌어 나갈 미래의 미국 시민인 아동들을 미리 차별 없이 철저하게 보호하여야만 미국의 미래가 있는 까닭이다.

* 4324년 8월 30일 씀.

두(頭)당 이만달러부터 사만 달러: 유괴

미국 생활 I: 유학

미국에 도착하여: 난감허네!

1982년 8월 주내와 우리 나이로 네 살, 여섯 살 된 아이들을 데리고 미국행 비행기를 탄다.

육군제3사관학교에서 3년 동안 교수로 근무하고 1978년 6월 전역한 후, 서울대학교 행정대학원에서 조교로 6개월 정도 있다가 부산에 새로 생긴 대학인 부산산업대학(현 경성대학교) 행정학과에 1979년 3월 전임강사로 부임하였다

당시는 석사 학위만 있어도 대학교수로서 자리 잡는 데는 별 문제가 없었으나, 잎으로는 박사 학위가 필요하다고 판단되어 틈틈이 유학 준비를 하였다.

국내 대학에서 박사 과정을 밟을 수도 있겠으나, 이왕이면 더 넓은 세계에서 공부를 하고 싶었기 때문이다.

사실 국내 대학에서 박사 과정은 당시만 해도 좀 헐렁헐렁했었던 시

미국 생활 I: 유학

절이다. 논문의 수준도 많이 떨어지고.

미국의 대학들은 대학마다 등록금이나 학비가 다 다른데, 일단 학비가 싼 대학을 골라 원서를 넣었다.

일반적으로 알려진 유명 대학인 하버드, 예일, 프린스턴 등 사립대학들은 학비가 일반 주립대학들의 10배가 넘기에 감당할 수 없다고 포기하고, 당시 한 학기에 400달러 정도 되는 학비가 싼 주립대학들만 골라 원서를 넣어 합격통지서를 받았다.

사실 가고 싶었던 대학은 캘리포니아 대학 버클리 캠퍼스인데, 일류로 알려진 이 대학은 주립대학임에도 불구하고 학비가 사립대학 수준이어서, 감히 원서를 내지 못했다.

합격통지서를 받은 몇 군데 대학 가운데 장학금을 주겠다고 한 텍사스 주 덴튼(Denton)에 있는 북텍사스주립대학(North Texas State University: NTSU)으로 가기 위해 마누라와 아이들을 데리고 비행기에 탄 것이다.

비행기 값을 제외하고 11,000달러를 가지고.

사실 이 11,000달러도 간신히 마련한 것이었다. 부산산업대학에서는 유학 가면, 받는 봉급의 일 년치를 주겠다고 했는데, 당시 이 대학의 월급은 40만 원 수준이었던 걸로 기억한다.

그런데 막상 유학을 가려고 휴직계를 내고 당시 부학장이었던 이◇◇ 씨에게 갔더니 경리과에 가서 돈을 타가라고 한다.

경리과에선 유학 후 돌아와서 봉직하겠다는 서약서에 사인을 하라고 하면서 6개월치 월급 약 250만 원을 준다고 한다.

이런 조건이 없었고 1년치 월급을 주기로 했다며 따졌더니, 사인을

미국에 도착하여: 난감허네!

하지 않으면 돈을 줄 수 없다고 한다.

당시 부학장이던 이◇◇ 씨는 이 학교 재단 이사장인 김DD 씨의 이모부로서 고등학교 교사로 재직할 때 노조 활동을 하다 박정희 쿠데타 정권에 밉보여 퇴직한 분으로서 과단성 있고 상당히 정치적인 사람이었는데, 당시 신생 대학인 이 학교에서 실권을 휘두르고 있던 사람이다.

다시 이◇◇ 씨에게 가 따지려 했으나, 이 양반이 나를 만난 후 자리를 비워 만날 수가 없었다.

내일 모레가 출국인데, 돈은 필요하고 부학장은 만날 수 없고, 할 수 없이 경리과에 가서 사인을 하고 일단 돈을 받았다.

그리고 그 다음날도 그 다다음날도 이◇◇씨는 만나지 못하고 결국 그냥 비행기에 몸을 실은 거였다.

비행기는 이륙하여 태평양을 건너 LA에 도착했다.

여기에서 입국 수속을 하고 다시 달라스-포트워스 공항으로 가는 비행기로 갈아타야 한다.

입국 수속을 한 다음, 달라스 행 비행기를 다시 타고 달라스-포트워스 공항에 도착하니 캄캄한 밤중이다.

짐을 찾아 공항 밖으로 나왔으나, NTSU에서 마중 나와 있어야 할 NTSU 한인학생회장이던 송▽▽ 군을 찾을 수가 없다. 사전에 몇 번이나 편지를 쓰고 연락을 해 놓았는데…….

어찌할 줄 모르고 아이들과 주내에게 짐을 맡겨 놓고는 마중 나온 송▽▽ 군을 찾아 이리저리 헤맨다.

시간이 밤 12시 가까이 되어 가니 공항 내 불은 하나 둘씩 꺼져 가

미국 생활 I: 유학

는데 참 난감하다.

NTSU 한인학생회로 연락하려고 전화를 하려 하는데, 어떻게 전화를 해야 하는지도 모르겠고…….

그래도 걱정이 되진 않는다. 어떻게 되겠지, 뭐!

이때 천사가 나타났다.

우물쭈물하고 있으려니 공항 밖으로 빠져 나가던 한국인 한 분이 와서 왜 그러냐고 묻는다.

사정을 이야기하니, 주머니에서 동전을 꺼내 전화를 대신 걸어준다. 학생회장인 송▽▽ 군은 받질 않고, 결국 한인학생회 총무인 음악을 전공하는 이○○ 군과 통화를 하게 되었다.

사정을 들은 이○○ 군은 자기가 나오겠다며 한 두 시간만 기다리라고 한다.

대신 전화를 걸어주신 분은 자기가 가는 방향이 달라 더 이상 도와줄 수 없다면서 가지고 있던 김밥 세 덩어리와 자동판매기에서 닥터 페퍼라는 음료수를 몇 개 뽑아 준다.

정말 감사한다. 이름도 모르고 성도 모르는 재미교포분이시지만 정말 큰 도움을 받은 것이다.

결국 불 꺼진 공항에서 음료수로 목을 축이면서 김밥을 노나 먹고는 계속 기다릴 수밖에 없었다.

새벽 2시쯤 이○○ 군이 왔다.

학생회장이라는 송▽▽ 군은 어머니가 일본 사람이고 집이 일본이라는데, 방학이 되어 일본에 갔다고 한다.

그렇다면 총무에[게나 다른 사람에게 우리를 픽업하라고 얘길 해 놓

미국에 도착하여: 난감허네!

고 가야지, 전혀 그러지 않고 그냥 일본으로 가버렸으니……. 참으로 책임감 없는 사람이다.

같은 송 씨인 게 부끄럽다.

총무인 이○○ 군은 한참 잠들었다가 "아닌 밤중에 봉창 뜯는다"[1]고 갑자기 전화를 받고는 우릴 픽업하러 나온 것이다.

이 군은 우릴 태우고 달라스에서 덴튼에 있는 학교 근처 모텔에 우릴 내려주고는 내일 아침에 다시 오겠다고 하고는 자기 집으로 돌아갔다.

이○○ 군에게 정말 미안하고 고맙다.

시간은 4시 가까이 되었다.

미국에서의 첫날밤을 모텔에서 자는 둥 마는 둥 하다가 깨어보니 8시가 넘었다.

베개 밑에 5달러를 놓고 모텔을 나오니, 그 앞에 식당이 있어 애들을 데리고 들어가 아침을 먹는다.

잠시 후, 이○○ 군이 차를 몰고 와 우리보다 며칠 앞에 온 한국 유학생인 이△△ 씨에게 데려다 준다.

---

1) 생각지도 못한 일을 급작스럽게 당할 때 쓰이는 속담.

미국 생활 I: 유학

집 수난 I: 돈도 없는데…….

이△△ 씨는 물리학 전공으로 나와 나이가 같은데, 며칠 전에 도착하여, 마침 여행을 떠나 비어 있던 한국인 유학생 박OO 씨 아파트에 혼자 기거하고 있었는데, 당분간 집을 구하는 동안 같이 있으라 한다.

박OO 씨는 컴퓨터공학을 전공하던 유학생인데, 다른 곳으로 이사하기 전 일 개월 동안 여행을 떠나 이 아파트가 비어 있어 이△△ 씨가 잠시 사용하고 있는 상태였다.

그런데 문제는 이 아파트가 아이들이 있는 사람에게는 세를 주지 않는 아파트라는 것이었다.

우리 집을 구하기 위해 서 며칠 지내는 동안, 이 아파트에서 우리 아이들이 눈에 띌까 봐 신발도 감추고 소리도 조용조용하라고 아이들에게 일렀고 들키지 않도록 조심조심 지냈다.

그런데 이 아파트 관리인인 백인 할머니가 어떻게 알고 왔는지, 와

집 수난 I: 집도 없는데…….

서는 '계약 위반'이라면서 야단을 친다.

그러면서 보증금을 내주지 않겠다고 한다.

우린 잠시 다니러 온 것이라며, 사정을 설명했으나 막무가내다.

결국 보증금을 내가 물어주게 생겼다.

이걸 어찌 해결해야 하나?

우리가 쫓겨나는 것은 어쩔 수 없었으나, 박○○씨가 오기 전에 보증금 문제를 해결해야 하는디…….

관리인 할머니를 붙잡고 사정을 해도 법대로 해야 된다며 들은 척을 아니 한다.

그러다가 학교 안에 무료 변론을 해주는 변호사가 있다는 걸 알고 찾아갔다.

무료로 변론을 해 주는 학교 변호사는 갓 법대를 졸업하고 변호사로서 경험을 쌓기 위해 대학에서 내주는 사무실에서 학생들에게 생기는 법률적 문제를 상담해주고 도와주는 초보 변호사인 셈이다. 그러니 젊을 수밖에.

학교 변호사로 활동하며 경험을 쌓고 실적을 어느 정도 올리면 변호사 개업을 한다.

미국에서 가장 존경을 받는 직업은 돈을 잘 버는 의사, 변호사, 기업가이다.

그렇지만 초보 변호사에겐 사건 의뢰를 잘하지 않기 때문에 초보 변호사는 뛰어 다니며 사건을 찾아 때로는 무료로, 때로는 아주 싼 값으로 사건을 수임한다.

그리곤 재판에서 이기기 위한 증거를 찾기 위해 사설탐정 같은 역할

미국 생활 I: 유학

부터 시작하여 법률 검토를 바탕으로 변론 계획을 짜는 등 최선을 다한다.

그리하여 재판에서 승소하는 횟수가 많아지면, 명망을 얻게 되고, 위탁하는 사건이 많아지면 점점 돈 잘 버는 변호사가 된다.

학교에 있는 이 젊은 변호사는 우리 이야기를 듣더니, 자기가 해결해주겠다고 자신 있게 말한다.

이 젊은 변호사는 박○○ 씨 아파트 관리인인 할머니에게 편지를 쓰고는 제일 밑줄에 변호사 아무개라고 사인을 한다. 그리고는 이 편지를 아파트 관리인에게 보낸다.

편지 내용인즉, "내 의뢰인이 여차여차하여 여차여차한 모양인데, 가능하면 내 의뢰인과 타협을 해라. 만약 그렇지 않으면 내 의뢰인을 위해 소송을 하게 되는데, 그런 경우 당신이 질 확률이 매우 높다."는 것이었다.

며칠 후, 관리인 할머니에게 연락이 왔다. 변호사의 편지가 효과를 발휘한 모양이다.

결국 협상 끝에 내가 한 달치 집세를 위약금(?)으로 주고, 집주인 박○○ 씨에게 보증금(보통 월세의 두 달치 금액)은 모두 내주기로 하였다.

그냥 모텔에서 지냈으면 하루에 40달러씩 일주일에 280달러면 되었을 텐데, 350달러나 물어줄 수밖에 없었다.

돈도 없는데……

그렇지만 그나마 다행이다.

집 수난 Ⅰ: 집도 없는데……

집 수난 II: 원 베드룸

우린 일주일을 못 산 채 학교 근처의 원 베드룸 아파트를 구해 이사를 했다.

아파트를 계약할 때, 계약서에는 아이가 있는가 없는가를 체크하는 난이 있는데, 영어를 잘 모르는 척하고 그냥 넘어갔다.

이 아파트 역시 아이가 있는 사람에겐 원 베드룸을 임대하지 않는다는 것을 미리 알았기에 한 푼이라도 아껴보려고 그런 것이다.

이 아파트 집세는 2개월치인 700달러를 보증금으로 내고, 매달 350달러를 내는 조건의 아파트이다.

여기 아파트들은 한국처럼 고층이 아니다. 땅이 넓어서 그런지 1층 아니면 2층으로 되어 있다.

우리가 얻은 집은 2층집이다.

BM이와 BN이는 날 닮아서 점잖아 뛰거나 구르거나 하지 않아서

미국 생활 I: 유학

조용조용 지내는데, 한 달이 지나 같은 과 유학생인 김□□ 씨가 아이들을 데리고 놀러왔다.

김□□ 씨는 등록을 할 때 만났는데, 서울문리대 독문과 69학번이라 한다. 나도 문리대 사회사업학과 69학번으로 동기동창이 되는 셈이다.

어렴풋이 생각하니 1학년 때 교양과정부가 상계동에 있는 서울 공대에 있었는데, 체육대회 때 본 듯하다.

이 분은 나보다 나이가 일곱 살이나 많은 분이었는데, 나와 동기동창이 된 것은 군대 갔다 와서 삼수인가 사수인가 하여 문리대에 입학하였기 때문이라고 한다.

내가 볼 때에는, 아니 당시 교양과정부 학생들(대부분 바로 입학한 학생이거나 재수생)이 볼 때에는 한참 아저씨뻘이었는데, 교양과정부 체육대회 때 앞에 나와 응원단장을 하며 응원을 지휘하던 모습이 떠오른다.

이 분은 성격이 이와 같이 아주 활달하고 적극적인 분이다.

이 분은 1년 전 오클라호마 대학에 와 있다가 이 학교 정치학과로 전학 온 것이어서 미국 생활에선 선배가 된다.

나이는 일곱 살 연상이지만 결혼을 늦게 하여 딸 SR가 만(滿)으로 네 살, SJ이가 두 살이어서 우리 아이들보다 한 살씩 적었다.

이 녀석들이 친구를 만나니 얼마나 좋은가! 침대에서 뛰고 달리고 난리가 났다.

덕분에 아래층에 세 들어 있던 미국 청년이 관리인에게 이층에 애들이 있어 시끄럽다고 불평을 하는 바람에 관리인에게 들켰다.

관리인 왈,

집 수난 II: 원 베드룸.

"애들이 있냐?"

"있다."

"애들이 있으면 원 베드룸은 안 된다. 투 베드룸으로 옮겨야 한다."

"왜 안 되냐? 한국에선 애들을 부모가 데리고 자는데……. "

"여기선 안 된다. 그게 우리 아파트 정책이다."

그러면서 투 베드룸으로 옮겨야 한다고 한다. 옮기는 건 둘째 치고, 이거 이러다 보증금을 안 준다고 하면 어쩌나? 박○○ 씨 아파트에서도 보증금을 안 준다고 하여, 한동안 골치가 아팠었는데…….

"그러면 당신이 관리하는 아파트에 투 베드룸이 있냐?"

"우리 아파트에는 투 베드룸이 없고, 내가 아는 아파트에 투 베드룸이 있는데, 알아봐 줄까?"

그러더니 전화를 건다. 그리고는,

"마침 투 베드룸이 비어 있는데, 월 450달러라 한다."

"그럼 그쪽으로 옮기면 보증금은 어찌 되냐?"

계약 위반이니 보증금을 돌려주지 못하겠다고 하면 어쩌나? 걱정이 된다.

다행히 이 관리인은 박○○ 씨 아파트의 할머니 관리인보다는 훨씬 마음이 착하고 좋다.

"보증금은 내어줄 테니 걱정하지 말아라."

"아이구, 감사합니다."

결국 한 달밖에 못 살은 채, 이곳에서 조금 떨어진 곳으로 다시 이사를 해야 했다.

미국 생활 I: 유학

학교 안의 집

그리하여 할 수 없이 투 베드룸으로 집을 옮겼으나, 매달 집세를 내기가 버거웠다.

그리하여 다시 싼 집을 구하기 시작했는데…….

마침 학교 안에 단독으로 된 허름한 집이 하나 있었는데, 월세가 아주 싸게 나와 있어 이리로 이사를 했다.

이 집은 부엌과 침대 하나가 차지한 거실 겸 방이 하나인 집이어서 싼 것이다.

그렇지만 단독주택이니 아이들과 함께 있어도 다른 사람들 눈치 볼 필요가 없어 좋았다.

그런데 집이 어찌 학교 안에 있는고?

학교가 이 집 땅을 사들이지 못하고, 이 집 바깥의 땅을 사들여 건물을 지어 학교 교사로 사용하니, 마치 학교 안에 집이 있는 것으로 보이는 거다.

처음에는 학교 안에 집이 있다는 것이 매우 의문이었는데, 가만히 생각하니 당연한 거다.

학교 안에 개인 땅이 있으니 개인 거지 뭐!

한국에선 상상하지 못하는 것이 미국에선 당연한 것이다.

일단 집을 옮기자마자, 필요한 것이 전기와 가스와 물이다.

전기회사와 가스 회사, 그리고 수도국에 전화를 하니, 전기와 가스와 물이 즉각 들어온다.

그리고 한 달 후에 전기세 고지서와 가스 요금 고지서와 수도 요금 고지서가 날라 온다. 만약 이걸 내지 않으면 딱 끊긴다.

그러면 못 산다. 전기, 수도 가스 없이 어찌 살겠는가!

정말 새로운 경험을 한다.

이 집은 비록 거실 겸 침실 겸 부엌 겸 모두가 한 공간에 있는 집이지만, 단독주택이어서 아이들이 뛰어 놀아도 누가 뭐라는 사람이 없어 좋았다.

학교 수난 I: 언어연수원

미국에 오자마자 공항에서부터 수난이 시작되어, 집을 구하면서도 수난이 계속되었는데, 진짜 수난은 학교에 등록하면서 시작되었다.

입학허가서를 들고 등록을 하러 갔는데, 등록하기 전, 대학 1~2학년 정도 되는 백인 학생들 20여 명이 책상을 놓고 앉아서 유학생들을 대상으로 인터뷰를 한다.

스크리닝 테스트(screening test)라는데 이를 거쳐야 등록이 가능하다고 한다.

이 시험은 사실 별 거 아니다.

이름이 뭐냐? 어디서 왔냐? 무슨 과 전공이냐? 등등 아주 기초적인 질문에 대답을 하는 것인데, 아무리 영어를 못해도 이 정도는 막히지 않고 쉽게 대답을 했는데…….

나에게 묻던 녀석이 장난으로 그랬는지 나에게 불통(fail)에 체크를 한 것이어서 본 대학원에 등록을 할 수 없고, 언어연수원인 랭기지 스쿨(language school)에 등록을 해야 한다고 한다고 한다.

이게 웬 날벼락인가?

인터뷰 자리에서 통·불통(pass or fail)을 알려주었으면 따지기라도 했을 텐데, 며칠이 지난 다음 등록하는 데서 안 된다고 하니 참으로 난감한 일이 발생한 것이다.

참, 미치고 폴짝 뛸 일이다.

미국 대학에선 유학생들에게 언어연수원을 다닌 다음에 등록을 허가하는 경우가 있는데, 이는 TOEFL 점수나 GRE 점수가 일정 수준에 미치지 못할 때 사용하는 조건부 허가인 셈이다.

내 경우에는 토플 점수가 입학 조건인 550점보다 훨씬 높은 600점이었고, GRE 점수[2]는 대학원 입학에 필요한 900점보다 훨씬 높은 1,180점이어서 1,100점 이상이면 장학금을 준다고 하여 이 학교로 왔는데, 언어연수원을 다니라니······.

교무부총장을 만나러 대학본부로 찾아갔으나, 만나지 못하고 입학처장에게 가보라 하여 입학처장에게 가서 면담을 요청하였다.

입학처장은 백인 여자였는데, 내가 대한미국에서 교수로 있던 사람이고, 토플점수가 600점, GRE 점수가 1,180점이고 장학금을 준다고 하여 왔는데, 스크리닝 테스트를 하는 것도 이해가 안 될 뿐더러 불통이 나온 것은 더더욱 이해가 안 된다며 다시 스크리닝 테스트를 받게 해달라고 항변하였으나, 한마디로 거절하는 것이었다.

---

2) 당시 GRE 시험은 언어 700점, 수학 600점으로 총 1,300점으로 되어 있었다고 기억한다.

미국 생활 I: 유학

"당신이 어떤 사람이든, 어떤 점수를 받았든, 스크리닝 테스트 결과는 결과이니, 언어연수원을 다니고 다음 학기에 등록하세요."

"당신은 대학생 시험관이 내 이름과 출신지 등을 묻는 스크리닝 테스트가 내 TOEFL 점수와 GRE 점수보다 공신력이 더 있다고 보나요? 그 대학생 시험관이 장난친 거로 밖에 안 보이는데……."

"어찌되었든, 언어연수원 마치고 다음 학기에 등록해야 합니다. 언어연수원에 등록하지 않으면 불법입국자가 되어 추방됩니다."

계속 같은 말만 되풀이하며 불법입국자 운운하면서 협박을 하고 있다.

결국 화가 나 큰소리가 나온다.

"당신이 진짜 입학처장이라면, 다시 테스트를 하여 통인지 불통인지를 파악하고 내 말이 맞다면 아르바이트로 나왔던 그 시험관을 불러 야단을 쳐야 하지 않은가요? 제대로 임무 수행을 안 했으니……. 그리고 스크리닝 테스트 시험관을 뽑을 때, 성실하고 상대방의 언어 능력을 제대로 판단할 수 있는 시험관을 뽑아야 하지 않는가? 이건 입학처장인 당신의 잘못이야. 뭐 이런 게 입학처장이랍시고……."

여기에서 "뭐 이런 게 입학처장이랍시고……."라는 말은 물론 한국말로 했다.

한국말을 못 알아들으면서도 눈치는 있는 모양이다.

"자꾸 이러시면 경찰을 부르겠어요. 그만 나가 보세요."

와! 정말로 미치고 폴짝 뛸 일이다.

언어연수원 다니는 것이 문제가 아니다. 이 학교 언어연수원은 쓰기(writing)와 해석(comprehension)의 두 과목이 있는데, 각각 2,000달

학교 수난 I: 언어연수원

러씩을 내고 이수해야 본 대학에 등록할 수 있다고 하니 당장 4,000달러가 들게 생겼으니…….

이 대학의 대학원 학비는 한 과목 신청하는 데 130달러라서 세 과목 신청하면 390달러인데 비하여 언어연수원 학비는 약 10배 정도 비싼 것이다.

두 번째 학기부터 장학금을 주겠다는 말만 믿고, 간신히 1,500만원 정도를 마련하여 400만원은 가족들의 항공료로 써버렸고, 겨우 11,000달러를 달랑 들고 왔는데, 당장 4,000달러를 내야 한다니 눈앞이 캄캄해진 것이다.

참고로 미국 대학에선 언어연수원의 학비가 대체로 이와 같이 비싸다. 물론 언어연수원은 매일 수업을 듣는 것이라는 것을 감안해도 대학 등록금보다 훨씬 비싼 것이다.

아마도 언어연수원을 운영하면서 그 돈으로 대학 재정을 충당하는 모양이다. 그래서 스크리닝 테스트를 핑계로 많은 학생들을 언어연수원으로 보내는 것이다.

실제로 여기 와서 처음으로 아파트에서 나와 함께 지냈던 이△△ 씨도, 음악학과의 박○○ 양도 언어연수원 행을 명받았으니…….

도대체 이를 어찌한다?

'여하튼 돈만 아는 놈들!'이라는 말밖에는 할 말이 없다.

대학원에선 등록을 받아주지 않고, 언어연수원에 등록을 하라는데, 하지 않으면 불법 입국자가 되어 추방될 수밖에 없다는데 다른 도리가 없다.

입학허가를 받은 다른 학교로 가려 해도 이미 학기가 시작될 시간이어서 이것도 불가능하다. 바로 이웃 도시에 있는 학교도 아니고…….

할 수 없이 언어연구원에 가,

"내가 돈이 없는데, 여기에 등록하라니 어쩌면 좋으냐?"

그러자

"그러면 일단 반만 내어 등록하고 차차 돈이 생기는 대로 내라."

고 한다.

그래서 거금 2,000달러를 내고 일단 등록을 하는 수밖에 없었다.

언어연수원에 가보니, 학생들이 약 40여 명씩 두 개 반이 편성되어 있는데, 주로 동남아 애들이 대부분이었고, 이들의 토플 점수를 물어보니 450점도 안 되는 애들이었다. 이 중에는 400점도 채 안 되는 애들도 많이 있었고, 토플 점수가 500점이 넘는 사람은 한국 학생들뿐인 듯했다.

그러나 어찌하나?

돈을 냈으니 열심히 다니며 무엇인가 얻어내려 했는데, 이건 뭐, 정말 다닐 필요가 없는 거였다.

작문(writing)과 해석(comprehension)의 두 선생이 전부 노처녀였는데, 해석 시간에는 영어의 기본 문법을 가르치는 것이었고, 작문 시간에는 역시 영어의 5형식을 중심으로 작문하는 법을 가르친다.

가만히 뒤에 앉아 선생이 예문을 들며 가르치는 것을 감상하며, 문제를 내면 손을 들고 다 맞혀 버린다.

아니, 이런 걸 내가 왜 들어야 하나?

한 달쯤 지나니. 작문 시간에는 에세이를 써 오라는 숙제를 주

학교 수난 I: 언어연수원

어, 이를 써서 제출하면 선생이 읽고 잘못된 문장을 빨간 볼펜으로 고쳐주고 평을 써서 돌려주는 식으로 쓰기 과목이 진행되었다.

나는 인간의 감각에 대한 본꼴(archetype)에 관해 내 생각을 영작하여 제출하였는데, 노처녀 작문 선생이 내 에세이를 읽고는 아주 감탄하며 "너는 참으로 기똥찬 철학자(wonderful philosopher)라며 다음 에세이를 목 놓아 기다린다."는 평을 하여 돌려주었다.

그렇게 몇 편의 본꼴에 관한 에세이를 제출하여 기똥찬 평을 들은 후, 이 노처녀 선생을 찾아갔다.

참고로 이 때 쓴 에세이들을 우리말로 번역하여 출판한 것이 〈삶의 지혜 1: 근원(根源): 앎과 삶을 위한 에세이〉라는 책이니, 이 기똥찬 에세이 내용이 무엇인가 궁금하신 분은 꼭 이 책을 참조하시라!3)

"너는 내가 니 과목을 들어야 한다고 생각하니?"

"아니, 전혀 들을 필요 없다."

"고렇지, 맞지? 사실 내가 여기 와 앉아 있는 것은 시간 낭비라고 생각혀. 쟤들하고 이야기하고 놀아봐야 배우는 것이 읎어. 오히려 내 전공학과에 가서 청강을 하는 게 나에겐 훨씬 도움이 된다고 생각하는디."

"나두 그렇게 생각헌다."

"그러면 다음 주부터는 안 나와도 되지?"

"오케이(OK). 슈어(Sure)!"

흔쾌히 응낙한다. 그래서 이야기한다.

---

3) 〈삶의 지혜 1: 근원(根源): 앎과 삶을 위한 에세이〉 교보문고 퍼플. 2017. 국판 249쪽. 10,100원.

미국 생활 I: 유학

"사실 언어연수원 학비 4,000달러를 내라는데, 내가 돈이 없어 2,000달러밖에 못 냈거덩. 여기 다니면서 나머지 2,000달러를 내라 했는데, 내가 여기 더 있을 필요가 없으니, 나머지 2,000달러를 면제시켜 줘야 하지 않을까?"

"네가 더 이상 언어연수원에 다닐 필요가 없으니 나머지 학비 2,000달러를 면제시켜 주십사 하는 서류를 만들어 내가 사인(sign)해 줄게. 이를 가지고 언어연수원 교무과에 가져다 주면 될 겨. 아니 나랑 같이 갈까? 내가 이야기해 줄게."

"아니, 해석(comprehension) 선생에게도 사인을 받아올 테니, 그 서류 일단 나를 줘! 그리구 같이 가자."

그래서 "이 분의 학비를 면제하라!"는 서류를 받아들고는 해석 선생에게 가서 이러구저러구 말을 했다.

"너는 내가 니 수업을 계속 들어야 한다구 생각허냐? 쓰기 선생님은 쓰기 과목에 내가 들어올 필요가 없다고 하던디······. "

"내가 생각해도 넌 내 과목 전혀 들어올 필요 없어."

"고렇지? 너두 쓰기 선생님하고 같은 의견이지? 내일부터 니 과목 안 들어 올 겨~."

"내일부터 너를 보지 못한다니 눈물이 나올라 하고 매우 섭섭하긴 하네. 그렇지만 니 실력이면 전혀 들어올 필요가 없어."

"그럼 너두 여기에 사인 해줬으면 좋겠다.“

그러면서 작문 선생의 '학비 감면 요청' 서류를 내미니 흔쾌히 사인해준다.

두 노처녀 선생이 사인해 준 서류를 들고, 함께 언어연수원 학

학교 수난 I: 언어연수원

무과에 가서 디밀었다. 그러면서

"이 두 분 선생님께서 내가 언어연수원을 다닐 필요가 없다는 것을 증명해주셨으니, 내가 학기 시작할 때 낸 2,000달러도 돌려 줘."

"미납된 2,000달러는 선생님들 요청에 따라 면제해줄 수는 있는데, 이미 낸 2,000달러는 내줄 수가 없습니다."

"야! 내가 본과 강의도 못 듣구 시간 낭비한 것만 해두 얼마나 손해 다……."

"그건 이해를 합니다만, 이미 낸 돈은 저로서는 어찌할 수가 없습니다. 미안합니다."

'허긴 주머니에 들어간 돈을 순순히 돌려줄 사람이 어디 있겠나? 이럴 줄 알았으면 처음 등록할 때 1,000달러만 할 껄 그랬네. 괜히 2,000달러를 냈구나.' 싶다.

결국 미납금 2,000달러는 내지 않았고. 그 다음날부터는 대학원에 가 청강을 하기로 하고 언어연수원은 더 이상 나가지 않았다.

아르바이트 I: 불법 취업

[1] 없는 돈에 그나마 2,000달러를 절약하게 되었으나, 가져온 11,000달러 가운데 박○○ 씨 아파트 위약금 350달러와 새 아파트 집세 보증금 900달러, 고물 자동차 구입비 860달러, 언어연수원에 빼앗긴 돈 2,000달러, 그리고 두 달 동안 낸 투 베드룸 집세 900달러와 두 달 생활비를 제하고 나니, 이제 남은 돈은 5,000달러 정도밖에 안 남았다.

이럴 줄 알았나?

한국에 돌아갈 차비 4,000달러는 남아 있어야 하는데…….

당시 주내는 "유학 간다고 하구서는 두세 달만에 돌아왔다고 하면 체면이 말이 아니라"며 "어떡해서든 미국에서 버텨야 된다."고 말했지만, 내 생각은 전혀 그렇지 않았다.

내 생각에는, 돈이 떨어지면, 곧 돌아갈 여비 4,000달러 정도밖에 남지 않으면, 즉시 그냥 한국으로 돌아갈 작정이었다.

내 생각엔 체면이 깎이는 것보다는 그러한 체면에도 불구하고 귀국을 결정하는 남자의 결단력에 더 많은 가치를 두었기 때문이다.

여하튼 이제 간당간당하다.

그렇지만 집세보증금 900달러를 돌려받는다면, 아직 2,000달러 정도 여유가 있다.

그렇지만 매달 생활비가 들기에 이 2,000달러도 계속 눈에 띄게 줄어들고 있는 것이 눈에 보이니 불안 불안하기만 하다.

결국 돈을 벌 수밖에 없었다.

주내는 김□□ 씨 와이프가 일하는 식당을 소개받아 일을 하겠다고 며칠 일을 나갔다.

식당 일을 한지 며칠 안 되어서였는데, 하루는 웨이트리스 일을 하면서 팁을 많이 받았다고 자랑을 하기에 당장 내일부터 때려치우라고 했다.

사람이 돈을 벌어도 할 일이 있고 못할 일이 있지, 아무래도 웨이트리스는 아닌 것 같았기 때문이다. 마누라가 웨이트리스 일을 해서야 그냥 한국으로 돌아가면 돌아갔지 이거야말로 남자 체면이 안 서는 일 아닌가?

직업에 귀천이 없다고는 하지만, 아무래도 이쁜 마누라를 밖으로 내돌려야 되겠는가!

주내는 이때 돈을 잘 벌 수 있었을 거라며 두고두고 후회하듯 이야기하지만, 고국에 번듯한 직장이 없나 돌아가면 돌아갔지 이건 허용할 수 없는 일이었다.

미국 생활 I: 유학

누군가는 "에구, 지 마누라 이쁜 건 알아가지구!"라며 한 소리 할지는 모르겠지만서두 그렇게 이야기하면 나는 그저 맞는 말이라고 맞장구치고 싶다. 맞는 말이니까!

② 주내는 타이핑도 잘하고, 손재주도 좋고, 노래도 잘하고, 못하는 게 없다.

그 재주를 살려 생활비라도 벌자 하여 처음엔 새로 나온 볼 타자기를 사다가 유학생들의 레포트를 타이핑해주면서 몇 푼씩 벌어 생활비에 보탰다.

당시 볼 타자기는 기존의 옛날 타자기와는 달리 타자기 가운데에 볼(ball)이 있고, 이 볼에 글자가 양각되어 있어 글자판을 치면 이 볼이 돌아가며 글자를 찍어내는 것으로서 새로 나온 제품이었는데, 당시 처음 나온 120비트 애플 컴퓨터 가격과 비슷한 350달러였다.

그러나 이런 가내노동으로써는 생활비를 벌 수가 없어 주내는 새 직장을 찾았는데, 그것은 달라스에 있는 도넛 가게였다.

도넛 가게는 새벽 3시부터 반죽을 시작하여 도넛을 만들어 구워 아침나절만 장사하고 11시쯤 되면 문을 닫는 가게였다.

주내는 새벽 1시부터 나갈 채비를 하여 도넛 가게에 가 일을 하고 다음날 오후 1시쯤 돌아오는 것이 일과였다.

애들을 재워 놓고, 새벽 2시쯤 주내를 태워다 도넛 가게에 데려다주고 나만 돌아왔다가 오전 11시쯤 출발하여 다시 주내를 데리고 오는 로드 매니저(road manager) 역할은 내 담당이었다.

아르바이트 I: 불법 취업

이때는 언어연수원을 면제받은 시기여서 이것이 가능했다.

그렇지만 처음 며칠 동안만 운전기사 노릇을 하다가 길이 익숙해지면 주내 혼자 다니게 하려고 했는데…….

하루는 새벽에 출근하다가 자동차 바퀴가 펑크가 나 낑낑 대며 그걸 갈아 끼우고 간신히 도넛 가게에 간 적이 있어서 결국 그만 둘 때까지 내가 데려다주고 데려오고 할 수밖에 없었다.

새벽 2시 반쯤 아무도 안 다니는 깜깜한 길가에서 펑크 난 타이어를 주내 혼자 갈아 끼울 수가 있을까? 물론 갈아 끼울 수는 있겠지만, 내 마음이 영 안 놓이는 거다.

펑크 난 당시에는 "만약 주내 혼자 보냈다면, 어찌할 뻔 했을까? 내가 같이 있기 참 다행이다."라고 생각했으나, 이런 경험을 하고 나니 그 다음부터는 도저히 주내를 혼자 보낼 수가 없는 것이다.

그런데 그 뒤로 한 달쯤 다녔을까 도넛 가게를 그만 두었다. 고생하는 것에 비해서 벌이가 별로였기 때문이다.

③ 받는 임금은 불법취업자임을 감추기 위해 최저임금보다 적게 받는데, 한밤중에 집을 나서야 하고, 내가 데려다주고 데려오니 자동차 기름값이 두 배로 들어 이를 제하고 나면 별로 남는 것이 없어서였다.

그렇다면, 언어연수원을 그만 두었으니 비교적 시간적 여유도 있는 나는 뭐하냐고? 마누라 고생만 시키면서!

물론 나는 집에서 애들 보고, 책이나 보고 그랬지.

캠퍼스 밖에서 내가 일을 하게 되면 불법 취업이 되고, 그것이 발각

미국 생활 I: 유학

되면 미국 법무부에서 사랑하는 고국으로 나를 강제 퇴거시킨다니 박사 학위 따러 온 청운의 푸른 꿈이 물거품이 되는 까닭이다.

그렇다면 주내의 불법 취업은 강제 퇴거가 안 되냐고?

물론 불법 취업이 발각되면 강제 퇴거 대상이 되지.

그렇지만 주내가 고국으로 돌아가도 나는 남아서 공부할 수 있는 거 아닌가?

불법 취업을 하게 되면 당시 시간당 최저임금이 시간당 3달러 45센트였었는데, 불법 취업자에게는 고용주가 세무 보고를 하지 않는 대신 2달러~2달러 50센트 정도 주는 게 상례였다.

고용주가 만약 최저임금법이 정한 대로 임금을 주면 당연히 이를 세무서에 보고하고 비용으로 처리함으로써 고용인의 봉급만큼 세금을 공제받을 수 있기 때문에 불법 취업자에게는 최저임금법보다 훨씬 적은 임금을 주는 것이다.

④ 결국 도넛 가게에서 주는 돈으로는 어찌할 수가 없어 강제추방을 무릅쓰고 주내와 내가 함께 낮에 할 수 있는 일을 찾아 무슨 일인가 했는데--왜 기억이 나지 않는 걸까?-- 이것은 시작한 첫날 바로 그만 둘 수밖에 없었다.

아이들을 집에다 두고, 같은 아파트 옆의 옆집에 사는 이△△ 씨 부인에게 가끔 우리 집에 가 우리 아이들을 봐 달라고 했는데, 이△△ 씨 부부에겐 린이라는 갓난아기가 있어 애기를 재우고 와보니 아이들이 없어진 거였다.

아르바이트 I: 불법 취업

우리 집에 와 애들을 찾으니 우리 옆집에 사는 백인인 톰이 나와서는 우리 집에 애들만 있다고 자기가 경찰에 신고를 하여 경찰이 와서 데려갔다는 거였다.

그러니 린이 엄마는 얼마나 당황했겠는가?

린이 엄마는 울먹이는 소리로 달라스에서 일하고 있던 우리에게 전화를 한 거였다.

그래서 일이고 뭐고 다 때려치우고 그냥 집으로 달려왔으니 그 일을 계속 할 수 있겠는가?

아이들을 빼앗길 뻔한 이 날 사건[4] 이후 낮에 아이들만 놔두고 부부가 함께 일을 나갈 수는 없었다.

그래서 이번에는 주내가 세탁소 일을 하였는데, 이 일은 새벽에 나가는 것이 아니어서 주내가 운전하여 출퇴근을 했다.

나는 집에서 아이들과 함께 있다가 대학원 청강 과목 시간에만 학교에 다녀올 수 있는 생활이었다.

그러나 이 일도 얼마 안 가 그만두었다.

⑤ 북텍사스대학 옆에 있는 세계에서 두 번째로 큰 여자대학인 텍사스여자대학 식품과학과에 유학 온 계명대학의 김○○ 교수가 주내에게 회계사 사무소 일자리를 마련해주었기 때문이다.

김 교수는 계명대학교 교수로서 이 학교에 박사 학위를 따러 유

---

4) 이 일은 "미국의 아동보호"에서 자세히 기록되어 있다. 아이들이 어찌 되었는지 궁금하신 분들은 "미국의 아동보호" 편을 보시라!

학을 왔고, 남편은 회계사로서 달라스에서 회계사 사무실을 운영하고 있었는데, 사무실에서 장부 처리 등 일을 할 사람이 필요하여 집 사람에게 권한 것이다.

이 사무실엔 그래도 꽤 오래 다녔다. 아마 6~7개월 다닌 것으로 기억한다.

한국인 회계사 사무실에서는 비교적 높은 급여를 받았는데, 주내 월급을 세무서에 그대로 보고함으로써, 주내 봉급에서도 소득세를 꼬박꼬박 떼어갔으나 불법 취업으로 적발되어 강제 퇴거당하는 불상사는 일어나지 않았다.

어떻게 처리를 했는지 몰라도 불법 취업이 아닌 정당한 취업으로 처리된 듯싶다.

예컨대, 고용주가 이 사람이 내게 꼭 필요하다는 사실을 적시하여 고용하겠다는 의사를 밝혀 허가를 받으면 불법 취업에서 벗어나게 되기에 고용주인 김○○ 교수 남편 분이 이렇게 처리한 듯하다.

어쩌면 미국의 행정 시스템이 가지는 특성, 곧 기관과 기관과의 독립적 성격이 강하기 때문에, 세무서와 법무부의 협조가 이루어지지 않아서 적발되지 않은 것일지도 모른다.

다시 말해서 세무서는 불법 취업자든 아니든 세금만 많이 잘 걷으면 되는 거고, 법무부는 불법 취업자를 적발하여 본국으로 송환시키는 일을 열심히 하는 것이 법무부의 일인 것이다.

따라서 각자 자기 일만 열심히 하면 되지 남의 일에 끼어드는 것이 아니라는 생각을 바탕으로 견제와 균형이라는 삼권분립적 사고가 행정기관과 행정기관 사이에서도 존재하는 것이다.

아르바이트 I: 불법 취업

예컨대, 법무부에서 세무서에 세금을 낸 불법 취업자 명단을 달라고 해도 세무서에선 "그건 니 일이지 내 일이 아니다. 니가 재주껏 알아봐라!"면서 업무 협조를 해주지 않는다는 것이다.

그러고 보니, 주내는 미국에 오자마자부터 타이피스트, 식당 일, 도넛 가게, 생각나지 않는-애들 빼앗길 뻔했던 OOO 일, 회계사 사무소 일, 세탁소 일 등 참으로 다양한 업종에 종사하는 경력을 쌓은 것이다.

아니 나중에 생각해보니, 빌딩 청소 일과 애 돌보기(baby-sitter) 일도 했는데 요걸 또 빠트렸네!

빌딩 청소 일과 애 돌보기 일이 생각났다고 여기에서 쓰려면 이 글이 너무 길어지니 요건 다음 마디 '아르바이트 2'와 '아르바이트 3'에서 다루고자 하니. 미국에서 일을 하고 싶으신 분들은 '아르바이트 2'와 '아르바이트 3'도 읽어보시라!

아르바이트 II: 애를 뺏길 뻔 했네

유학간지 얼마 안 되니까 가져간 돈은 떨어지고, 결국 집사람과 일을 하러 나갔을 때다.

애기보기(baby-sitter) 값이 워낙 높아서 둘이 나가 벌어 보아야 애기보기 값을 치르면 몇 푼 안 남는다. 그래서 아이들을 살짝 놓아둔 채, 옆에 사는 유학생 부인에게 가끔 아이들을 확인해 달라고 하고선 일을 나갔다.

그런데 일하는 도중에 그 부인에게 전화가 왔다.

아이들이 없어졌다는 것이다.

그래서 일이고 뭐고 다 때려치우고 되돌아 왔더니 정말로 아이들이 없었다.

그 아주머니 말은 저녁 먹고 우리 집에 와보니 아이들이 없더라는 것이었다.

아르바이트 II: 애를 뺏길 뻔했네!

　그래서 아이들 찾는다고 부산을 떨었더니 옆집에 사는 미국인 톰이 삐쭉 내다보면서 "아이들이 울어서 와 보니 어른이 없어 경찰에 신고했다."고 했다는 것이다.

　그래서 그 부인이 "내가 베이비시터인데, 잠깐 우리 집에 갔다 오는 사이에 신고를 해서 경찰이 애를 데려가게 하면 어쩌냐?"고 항의를 했더니 이 친구 무척 미안해 하더라는 것이었다.

　톰과는 아주 친하게 지냈는데 이 녀석이 경찰에 신고하여 경찰이 데려갔다니 한편으로 야속하긴 했으나, 그 녀석 입장에서 생각해 볼 때 이해가 안 되는 것은 아니었다.

　어른은 없고 아이들은 보호해야겠는데, 자기가 봐 주긴 싫고……,

　그러니 경찰에 보호를 요청할 수밖에.

　제 딴에는 우리 아이들을 보호하기 위해 경찰에 신고한 것이었으니 그저 나무랄 수만도 없는 일이었다.

　어찌되었든 아이들을 찾기 위해 시 경찰서로 달려갔다.

　갔더니 퇴근 시간이 되어서 시 아동과로 넘겼다며 아동과로 가보라는 것이었다.

　그래서 다시 아동과로 갔더니 얼마 전에 누군가가 아이를 되찾아 갔다는 것이었다.

　누가 데려 갔느냐고 물었더니 처음에 신고한 사람이란다.

　할 수 없이 터벅터벅 집으로 돌아왔는데 집에 와보니 아이들이 돌아와 있었다.

　이웃집의 톰이 미안해서 자기가 아동과에 가서 데려온 것이었다.

　아이들에게 물어보았더니 서로 티격태격하다가 작은 놈이 울음을 터

미국 생활 I: 유학

뜨렸는데, 이웃집 백인 아저씨가 들어와 "울지 마라" 하고는 얼마 안 있어 순경아저씨가 초콜릿이랑 사탕이랑 주면서 데리고 갔다는 것이다.

경찰서에서는 또 다른 아줌마 경찰이 같이 놀아주었고, 얼마 후에 경찰이 아닌 아줌마가 와서는 장난감을 주면서 차에 태워 다른 데(시 아동과)로 데려갔다는 것이다.

사탕이랑 초콜릿이랑 먹으며 장난감 가지고 신나게 노는데 이웃집 톰 아저씨가 와서 집으로 함께 왔다는 것이 아이들의 이야기였다.

가만히 이야기를 들어보니, 집사람과 내가 애가 타 있는 동안 이 녀석들은 호강을 한 셈이었다.

여하튼 아이들을 낯선 환경으로 데리고 가면서도 마음을 편안하게 해주는 것이 이들의 아동보호 요령이라는 것을 알았다.

그 다음 날이었다.

전화가 와서 받았더니 시 아동과였다.

시 아동과로 나와서 서류에 사인을 해 달라는 것이었다.

서류를 훑어보니, 만약 다시 한 번 더 아이들만 홀로 놓아두면 아이들을 돌려주지 않겠다는 내용의 각서였다.

아동과 직원의 말에 의하면, 만약 또 그런 일이 있을 경우 아이들을 시 아동과에서 보호하다가 아이들을 원하는 사람들에게 입양시키는데, 입양한 부모의 이름이나 주소도 가르쳐 주지 않는다고 한다.

아이들을 찾아오려면 법원에 호소하는 수밖에 없는데 그것이 또한 쉽지 않다는 것이다.

그렇게 되면 결국 입양된 아이가 14살이 될 때까지 기다려야 한단다.

아르바이트 II: 애를 뺏길 뻔했네!

아이가 열네 살이 되면 친부모를 찾아 갈 건지 양부모하고 그냥 살 건지를 스스로 결정하도록 한다는 것이었다.

따라서 열네 살 될 때까지 아이를 찾지 못하는 게 보통이라고 친절히 일러준다.

한마디로 말해서, 아이를 양육할 능력이 없는 사람에게는 아이를 맡길 수 없다는 것이었다.

아니, 아이를 키울 수 있는 경제적 능력을 갖추고 아이를 사랑할 마음의 준비가 단단히 되어 있지만, 아이가 없어 못 키우는 사람들이 줄을 서서 기다린다는 것이었다.

그래서 그 다음부터는 결코 아이들만 놓아두지 못했다.

* 4324년 8월 30일 신정동에서 씀.

미국 생활 I: 유학

아르바이트 III: 팁

이런 저런 일들을 하던 중, 하루는 이 학교 경영학과 석사과정으로 유학 온 이☺☺(귀국 후 한국생산성본부에 취업) 씨가 함께 청소 일을 하자고 하여 같이 청소 일을 하였다.

청소 일이란 미국사람들이 하기 싫어하는 3D 직종이어서 시간당 임금이 매우 높다. 막일 하면 최저임금이 3달러 45센트인데, 청소 일은 이것의 두 배 정도 된다.

사실은 이보다 더 많이 받을 수 있을 것이지만, 불법취업자 신세이니 이 정도 되는 것이다.

처음에는 호텔 청소를 맡았다.

호텔 청소는 낮에 하는 일이다.

방이 30개 정도 되는 작은 호텔이었는데, 일단 창문을 열고, 침대 시트를 갈고, 진공청소기로 방안의 카펫을 청소하고, 수건을 비롯하여 로션 등 비품들을 보충 진열하고, 화장실과 욕조를 청소한 후 욕조의 물기를 닦는 것이 그 일이다.

호텔 청소 역시 청소일이라서 최저임금의 두 배 정도로 임금이 높았을 뿐 아니라, 숙박객이 베개 밑에 놓고 간 팁도 얻을 수 있다는 말에 희망에 부풀어 일을 시작하였으나, 한 사흘 정도 하다가 그만 두었다.

미국에 가기 전에 사람들은 호텔이나 식당에서는 숙박비나 음식값의 10%를 팁으로 주어야 한다는 말을 귀에 따갑게 들었기에--물론 여행서에도 그렇게 쓰여 있다--미국으로 건너간 첫날밤 베개 밑에 팁을 놓고 나왔던 경험이 있었던 터라, 호텔 청소 일은 베개 밑을 들춰보는 것부터 시작되었다.

그렇지만 30여 개의 방을 청소하여도 팁을 놓고 간 사람은 하나도 없었다. 이건 그 다음날도, 그 다음다음 날도 마찬가지였다.

"아이구! 속았구나. 내가 참 멍청한 짓을 했다!"는 생각이 저절로 든다. 억울하다는 생각도!

사실 청소하는 사람들을 생각하면, 저들의 고된 노동에 대해 팁을 베개 위에나 테이블 위에 올려놓는 것이 예의일 것으로 생각하나, 현실은 전혀 그렇지 않다는 것을 직접 경험한 것이다.

그리고 또 한 가지! 호텔 청소를 하면서 느낀 것은 청소 일을 하다 보면, 침대 시트가 없어지는 경우가 예상외로 많다는 것이다.

침대 시트야 부피가 얼마 안 되니 필요한 사람이 쉽게 가져갈 수도 있으려니 생각할 수 있으나, 덮고 자는 두터운 캐시미론 이불까지 가져가는 경우도 있었다.

없어진 침대 시트는 끌고 다니는 손수레에 준비되어 있으니 쉽게 갈 수 있는데 반해 캐시미론 이불은 이를 호텔 관리인에게 보고하여야 하는 번거로움이 있었다.

호텔 관리인에게 보고했더니, 으레 그러려니 하면서 "창고에 가서 새 걸 가져다 깔아라!"고 할 뿐이다.

호텔이나 여관에 숙박하면, 주소와 이름을 적어야 하지만, 이를 통해 누가 가져갔는지를 추적하지는 않고--아마 거짓으로 적은 사람도 있을 거고, 그보다도 숙박객 명부를 찾아 경찰에 도난 시고를 하려면 우선 귀찮으니까-- 그러한 손실을 그냥 감수할 뿐이다.

아니 손실을 그대로 숙박비에 전가시키면 된다. 물건 값이야 지맘대로 결정하는 자유시장경제 체제 하의 미국이니까, 이런 손실을 감안하여 숙박비를 올리면 그만이다. 이게 미국의 장사 문화이다.

미국이라는 나라가 도둑도 없고 국민들 대부분이 잘사는 나라라 생각했으나, 호텔 청소 경험을 통해 느낀 것은 전혀 그렇지 않다는 것이다. 어느 나라나 사람 사는 것은 똑같구나 싶다.

미국이 일류국가라는 생각은 그야말로 허상이었다.

이와 같이 사람들의 생각은 사실과 일치하지 않는 경우가 많다. 어찌 보면 사람들은 자기가 상상하는 세상 속에서 스스로를 착각하며 살아가는 것이다.

아니, 현실에 마주치더라도 자신의 생각을 버리려 하지 않는다.

어쩌면 자신이 생각하는 대로 그렇게 인지하려고 노력하며 살아가는 것 아닐까?

여하튼 사흘간의 호텔 청소지만 많은 것을 배운다.

청소 일을 사흘 정도 하고 그만 둔 이유는 물론 기대했던 베개 밑

아르바이트 III: 팁

에 팁이 없어서가 절대 아니다. 시트 갈고 베큠하는 등 다른 일은 그런 대로 하겠는데, 욕조와 화장실 청소가 난관이었기 때문이다.

욕조의 물기를 닦아 내리려면 엎드려야 하는데, 허리가 부실하여 그런지, 구부렸다 펼 때 허리가 아파서 도저히 할 수가 없었다.

게다가 매일 낮에 나가 일을 해야 하니, 학교 수업이 있을 때는 일을 나갈 수가 없는 것이다.

결국 호텔 청소를 그만 두고 이☺☺ 씨와 이번에는 공항 청소를 나갔다.

달라스-포트워스 공항에 나가 청소 일을 하였는데, 출국 게이트를 들락거릴 수 있는 특권이 주어져 있어 비행기 표와 여권 없이도 공항 안으로 들어갈 수 있었다.

그래서 비행기도 가까이서 실컷 볼 수 있어 좋았으나, 이 일 역시 얼마 못가 그만두었다.

아무리 생각해도 공부하러 온 사람이 청소 일이나 하면서 시간을 보내는 것이 너무 아까웠기 때문이다.

'한 학기 일하여 돈 벌어 한 학기 공부하고' 하면서 박사 학위를 받으려면 몇 년이 더 걸릴지도 모른다. 이보다는 학비와 생활비는 빚을 지더라도 학위 받는 기간을 단축하여 속성으로 끝내는 것이 낫겠다 싶었기 때문이다.

아르바이트 Ⅳ: 주독야경(晝讀夜耕)

미국은 정말 좋은 나라이다.

미국에 오자마자 주내에게 다양한 일을 할 수 있는 기회를 준 나라
인 까닭이다.

미국이 아니면 주내가 짧은 시간 내에 타이피스트, 도넛 가게, 생각
나지 않는-애들 빼앗길 뻔했던 ○○○ 일, 회계사 사무소 일, 세탁소 일,
청소 일, 애 돌보기 일 등 이런 다양한 업종에서 경력을 쌓을 수 있었
겠는가?

장학금을 주지 않는다니, 다음 학기 등록금이며 생활비는 어찌하누?

그냥 한국으로 돌아갈까 싶었으나 주내는 한사코 반대였다. 그 놈의
체면 때문에!

그러니 정말로 일을 안 할 수 없다.

그렇지만 주내와 함께 낮에 일을 나갔다가 아이들을 빼앗길 뻔 했던

우리로서는 낮에 아이들을 남겨두고 일을 나갈 수는 없었다.

미국 법에는 아이들이 14살 될 때까지는 돌보는 이가 항상 같이 있어야 한다.

만약 아이들만 있으면, 아이들을 보호해야 한다는 생각 때문에 신고를 하게 되고, 신고를 받은 순경은 5분 내로 달려와서 아이를 데리고 가 시청 아동과에 넘기고, 그러면 시청 아동과에선 이 아이를 다른 곳에 입양시킬 수 있다.

눈 뜨고 아이 빼앗아가는 세상이 미국이다.

나도 아이들을 빼앗길 뻔 한 아주 유용한 경험이 있다. 따라서 아이들 돌봐주는 일도 하나의 직업인데, 애기보기 값이 워낙 비싸니 베이비시터에게 아이들을 맡기고 나면, 둘이 낮에 나가 일을 해도 남는 게 별로 없는 까닭이다.

결국 낮에는 일을 할 수 없고, 밤에 애들을 재워 놓고 부부가 일을 하는 수밖에 없다.

밤에 애들이 자다 일어나 울면 이것도 큰일이지만, "자다 깨어 엄마 아빠가 없어도 울지 말라."고, "엄마 아빠는 돈 벌어 와야 하니 금방 온다."고 아이들에게 단단히 일러놓고 밤일을 하러 나갔다.

밤일이란 게 도둑질이나 아니면 뭐 여러분이 상상하는 그런 일이 아니다.

어떻게 어떻게 알음알음하여 빌딩 청소 일을 하게 된 것이다. 빌딩 청소란 밤에 할 수밖에 없다. 낮에는 직원들이 일을 해야 하니 낮에 청소를 해서는 직원들이 일하는 것을 방해하게 되니까 말이다.

아이들을 재워 놓고 밤 9시쯤 주내와 함께 집을 나선다.

미국 생활 I: 유학

우리가 맡은 빌딩 청소 일은 아마도 세무서 빌딩이었던 거 같다. 큰 빌딩이 서너 채 되는데, 이 가운데 하나를 우리 부부가 맡아 방마다 청소를 하는 거다.

빌딩에 도착하여 청소 일을 주관하는 청소업체의 한국인 사장을 만났다.

청소업은 예전엔 유태인들이 하다가 이제는 한국인들이 주로 도맡아 하는 업종이 되었다는데, 여기에는 한국인들 특유의 깨끗함과 성실성 때문일 것이다.

우리 사장님 역시 이민 와서 직접 청소부터 시작하여 이제는 어엿한 청소업체의 사장이 된 분이다.

사장은 빌딩 청소에 필요한 진공청소기, 창문 유리와 화장실 청소에 쓰는 물품 등등 청소하는 데 필요한 물품을 갖추고, 청소할 사람을 모집하여 청소할 곳을 배분하여 주는 일을 한다.

어찌되었든 청소라는 게 사람들이 하기 싫어하는 일이라서 임금 수준이 매우 높다. 당시 최저 임금이 시간당 3달러 45센트였는데, 청소업은 7~8달러 정도 되었다. 어쩌면 이보다 더 높을지도 모르지만 그건 사장님 몫이다.

사장은 우리가 빌딩 청소 일을 하겠다고 하니, 아래위를 훑어보더니만, 한마디로 "안 된다."며 일언지하에 거절하는 것이었다.

"왜 안 되냐? 난 잘 할 수 있다. 초등학교 때 반장은 못해봤지만, 미화부장을 한 경력도 있다."

"안 된다. 이런 일 할 분들이 아니다."

"우린 돈이 필요하고, 그래서 일을 해야 하고, 아이가 있으니 밤에

아르바이트 IV: 주독야경晝讀夜耕)

일을 해야 하고…… . "

줄줄이 사정을 엮어 놓는데도 안 된다고만 한다.

나는 안 된다면 안 되는 거지 뭐, 할 수 없다 돌아가자 이렇게 생각하고 있는데, 주내는 눈물을 줄줄 흘리며 애원한다.

"청소 시켜 주세요."

"…… ."

"제발 청소 시켜 주세요. 네~"

아마도 주내 생각엔 이 일이라도 하지 않으면 안 되겠다는 절박한 심정이었던 모양이다.

이걸 생각하면 지금도 웃음이 나오지만, 주내에게 정말 미안한 생각이 든다.

남자가 되어가지고 마누라 고생만 시키고~! 에이~.

"청소 하실 분이 아닌데…… . 그럼 일단 한 번 해보세요."

결국 사장님, 마지못해 승낙한다.

그래서 빌딩 하나의 한 층을 맡았다.

한 층이라지만, 몇 개의 사무실로 되어 있는데, 사무실마다 워낙 넓고 크니 진공청소기 돌리는 일도 만만치 않다.

진공청소기 줄이 한 30미터쯤 될까 길기도 한데, 진공청소기로 카펫 위를 문지르고 반경 30미터 정도를 돌다보면, 줄을 다시 빼서 다시 끼워야 한다.

무거운 진공청소기 운전은 내가 담당하고, 주내는 손걸레로 책상 위와 유리창 등을 닦고 휴지통을 비우고 기쁘게 일을 한다.

보통 청소 일은 7~8시간 걸리는 일인데, 한국 사람들은 '빨리빨리'

근성이 있어서 5~6시간이면 맡은 일을 끝낸다. 그렇지만 임금은 7~8시간 임금을 받는다.

조금 더 익숙해지면 3~4시간이면 끝난다. 청소해야 하는 사무실 가운데 어제 꼼꼼히 청소한 사무실은 대충하고, 어제 대충한 사무실은 꼼꼼히 하는 등 요령이 생기는 거다.

대충한다고 해도 매일 하는 일이라서 큰 표시는 안 난다.

울며불며 매달려서 처음 하는 빌딩 청소라서 10시부터 시작하여 5시쯤 끝나야 하는데, 3시쯤 끝났다.

청소업 사장 옆에 있 한국 청년 한 분이 자기가 맡은 층을 다 청소해놓고 와서 도와주었던 까닭이다.

이 한국 청년은 청소를 도와주면서 자신이 미국 와서 겪은 경험담을 이야기해준다.

이 분은 누이가 미국에서 슈퍼마켓을 경영하는데, 누이 만나러 놀러와서는 그냥 불법체류자로 눌러 앉았다고 한다.

처음 한두 달은 그냥 빈둥빈둥 놀았는데, 아무리 누이 집이라도 그렇지 그냥 눈칫밥 먹고 계속 빈둥거릴 수 있는가?

그래서 누이한테,

"나, 일 좀 시켜주라!"

"그래 이제야 철들었구나. 내 슈퍼마켓에 와서 일 좀 해봐라!"

그래서 처음 맡은 일이 슈퍼마켓에 들어온 종이 상자를 버리는 일이었다는데, 이것도 한 이틀 해보았더니 더 이상 못하겠다고 한다.

종이상자를 그냥 상자 채 버리면 너무 부피가 많이 나가니까, 이를 뜯어서 납작하게 폐지로 만들어 차곡차곡 쌓아 버려야 하는데, 한 이틀

아르바이트 IV: 주독야경晝讀夜耕)

해보니 손톱이 망가지고 아파서 도저히 할 수가 없더라고.

그래서 누이에게

"나, 다른 일 시켜 줘!, 이건 손톱이 아파 도저히 못하겠어."

"그래, 그럼 슈퍼마켓 안 쪽에서 생선 다듬는 일을 해 봐라."

그래서 칼로 생선을 다듬어 내장을 빼고 비늘을 벗기고 손질을 하여 일회용 접시에 담아 비닐을 씌우고, 무게를 잰 후 가격표를 붙이는 일을 시작하였다는데……. 한 이틀 지나서,

"누나, 이것도 못하겠어. 웬 생선 비린내가 이리 나는지 원, 다른 일 하면 안 될까?"

"그래? 무슨 일을 하고 싶은디?"

"슈퍼마켓에서 돈 받는 일을 하면 안 될까? 캐시어(cashier)는 잘 할 거 같은데……. 셈도 빠르고, 잔돈 내주는 일이야 어려울 것도 없을 거 같은데……. "

이 청년 마켓에서 이런 저런 일을 하면서 눈 여겨 보니, 캐시어 일은 매우 쉬워 보였던 모양이다.

그래서 캐시어 일을 하게 되었다는데, 이것도 며칠 못 가 그만 두었다고 한다.

"왜 그만 두었는디?"

"아이구, 캐시어 일이 쉬워 보여도, 하루 종일 서 있어 봐요. 다리가 퉁퉁 붓고……. 미국인들은 뺄셈도 못하기 때문에 잔돈 거슬러주는 일도 만만치 않아요. 한국 사람들은 10,000원 주고 7,490원 어치 물건을 사면, 머릿속으로 계산하여 금방 2,510원을 거슬러 주면 아무 말 없이 받아가지만, 여기선 이게 안 통해요. 야들은 암산을 못 하니까,"

미국 생활 I: 유학

"……. "

"네가 7,490원어치 물건을 샀다, 그치. 니가 10,000원 냈고. 그러니, 자, 여기 거스름돈."

그러면서 먼저 10원을 주며,

"7,500원",

그리고는 다시 거스름돈 500원을 주며,

"8,000원",

다시 거스름돈 1,000원을 주며 ,

"9,000원",

그리고는 다시 1,000원을 주면서,

"10,000원! 이렇게 해야 합니다."

그냥 2,510원을 주면 이 돈을 받고는 고개를 갸우뚱갸우뚱 거리며 손바닥에 놓여 있는 돈만 바라보면서 하염없이 그야말로 하염없이 서 있다는 것이다.

"우와, 답답허다! 미국 문교부는 야들을 어찌 가르쳤길래 이 모양이냐?" 소리가 절로 나온다고 한다.

결국 이 청년, 슈퍼마켓에서 이런 저런 일을 해보니 쉬운 일이 하나도 없더라는 것이다.

이야기를 듣고 보니 정말 돈 벌기가 쉬운 일이 아니라는 느낌이 팍팍 온다.

슈퍼마켓일은 도저히 못하겠고, 그리하여 어떻게 어떻게 하다가 지금 청소 일을 하고 있다는 것이다.

아르바이트 IV: 주독야경晝讀夜耕)

어찌되었든 이 마음씨 고운 청년, 우리가 얼마나 딱하게 보였든지 그 다음에도 가끔가다 우리 일을 도와주곤 했다.

이 청년, 지금은 할아버지가 되었겠지만, 미국에서 성공하였을 거라 생각한다. 그리고 이 자리를 빌려 감사한다.

빌딩 사무실 청소를 하면서 또 하나 느낀 것은 얼마든지 쓸 수 있는 물품들을 휴지통에 마구 버린다는 거다. 야들은 사무실 비품들, 예컨대, 하드 커버로 된 바인더 철, 종이 따위를 새것인데도 무더기로 버린다.

아무리 물자가 많아도 그렇지, 처음에는 이러한 낭비가 전혀 이해가 안 갔다.

그렇지만 어쩌나, 갸들이 휴지통에 버리면 나는 이를 쓰레기통으로 가지고 가 버려야 하는 운명인 것을!

나중에 설명을 들으니, 그래야 문방구 만드는 회사가 살아난다나 어쩐다나! 요런 깊은 뜻이 있음을 모르고……

아마도 이 세무서는 문방구 만드는 회사를 살리기 위해 존재하는 모양이다.

어찌되었든 빌딩 청소 일은 다른 막노동보다 최저임금의 두 배인데, 요령껏 부지런히 하기만 하면 시간도 반쯤 단축하여 일찍 퇴근할 수 있다는 장점이 있다.

단점은 밤일이라는 것이 단점이라면 단점일까, 불법취업자들이 돈을 벌기 위해서는 비교적 해 볼 만한 일이었다.

낮에 공부하고 밤에 일을 하는 주경야독(晝耕夜讀)이 아니라, 주독야경(晝讀夜耕)하는 일도 얼마 하지 않고 그만두었다.

미국 생활 I: 유학

이런 아르바이트가 후세에 회자되어 주경야독(晝耕夜讀)이라는 한자 숙어를 주독야경(晝讀夜耕)으로 바꿔 놓은 계기가 되었다나 뭐라 나……

밤에 일을 하고 낮에 공부하려니, 생각을 해 보시라!

늦은 밤에 나가 새벽에 돌아와 새벽에 서너 시간 잠을 잔다고 해도, 그런 상태로 학교에 가 공부하는 일이 쉽겠는가?

그렇다고 주내만 이 일을 하라고 할 수는 없는 일이다.

결국 돈 없이 외국에 유학하려면 열심히 공부하여 장학금 받는 것이 최선이다.

물론 막일이 취미인 사람이나, 막일에 소질이 있는 사람은 예외겠지 만.

아르바이트 IV: 주독야경晝讀夜耕)

학교 수난 II: 전학

내가 처음 유학을 결정하여 이 대학을 선택한 이유는 이 학교가 유명한 명문 대학이어서가 아니라, 단지 한 학기가 지나면, TA(teaching assistantship)를 주겠다고 했기 때문이다.

그리하여 희망을 가지고 박사 과정에 입학하였으나 그 학교에서 다른 학교로 옮길 때까지 TA를 받지 못했다.

그 이유인즉슨 커뮤니케이션(communication: 의사소통)이 잘 안되기 때문이라는 것이다.

한마디로 재수 없게, 정말 재수 없게, 첫 등록일 날 스크리닝 테스트에서 시험관으로 있던 백인 학생 녀석이 장난을 치는 바람에 전혀 생각지도 못한 언어연수원을 첫 학기에 다녀야 했기 때문이다.

그런데 언어연수원에 다닌 경력이 발목을 잡은 것이다. 미국에 간 다음 학기엔 대학원에 제대로 등록을 하였으나 준다던 장학금은 "다음

140

학기에 보자."면서 주질 않는다.

이유인즉 "의사소통이 안 된다"는 것이다.

그렇지만 그 다음 학기, 그러니까 미국 온 지 일 년이 지난 다음에 다시 문을 두드려 보았으나 역시 TA를 못 주겠다는 것이었다.

역시 마찬가지 이유를 든다.

그렇다면 영어를 잘하는 김□□ 씨에겐 왜 TA를 안 주는가?

만약 그들의 주장대로 미국인들과의 의사소통이 안 된다면 입학이 될 리도 없고, 입학하고 나서 우수한 성적이 나올 리도 없을 것 아니겠는가?

그리고 실제로 TA가 하는 일이란 학부 강의 때 교수 대신 출석 불러 주고, 성적 처리해 주고, 교수가 부탁한 책 찾아 주고, 어쩌다 한 번 교수 대신 대강(代講)하는 일이니 못할 것도 없는데 말이다.

가만히 살펴보니, 박사 과정에 있는 유색인 유학생들에게는 TA를 주지 않고, 갓 학부를 졸업하고 석사 과정에 입학한 미국인 백인에게만 TA를 주는 것 아닌가?

그러나 "의사소통이 안 된다."는 것은 그들의 인종 차별을 합리화시키기 위한 한갓 핑계에 지나지 않다고 밖에 생각할 수 없었다.

물론 유색인도 TA를 받는 학생이 없는 건 아니었다.

하나는 고등학교부터 미국에서 다닌 아프카니스탄 인으로 돌아갈 나라가 없어서 미국인이 된 학생이고, 또 다른 하나는 타일랜드 학생이었는데, 이 둘 다 코스웍(course work: 규정학점 이수)이 끝나고 논문 제출 자격시험에 합격하여 학위 논문을 쓰고 있는 학생이었다.

학교 수난 II: 전학

그래 생각해 보니 TA를 받자면, 적어도 코스웍이 끝날 때까지 기다려야 될 것 같아, 미국에 건너오기 전에 입학원서를 받아 두었던 다른 학교에 편지를 냈다.

이때는 어느 정도 미국식 생활 방식을 이해하게 되어 편지에다가 단도직입적으로 장학금을 주면 니덜 학교를 옮기고 그렇지 않으면 안 가겠다고 썼더니, 장학금을 주겠다고 답장이 와서 몇 군데서 왔다.

답장을 받은 대학 가운데 어디로 전학을 할까 고려한 곳은 두 군데였다.

하나는 미주리에 있는 워싱톤 대학(Washington University) 사회사업학과이고, 하나는 모르간타운에 있는 웨스트버지니아 대학(West Virginia University: WVU)이다.

워싱톤 대학은 학비가 학기에 4,000달러가 넘는 사립대학인데, 학비 장학금(tuition scholarship)을 주겠다고 했다. 곧, 학비를 전액 면제해주겠다는 답장이었다.

이 대학에는 서울대 사회사업학과 3년 후배인 김◇◇ 군(귀국 후 서울대 교수로 취업)이 유학을 하고 있었는데, 답장을 받은 며칠 후 김◇◇ 군이 전화를 하여 워싱턴 대학에는 오짜와 교수 등 교수진이 좋고 학교 분위기도 좋다며 워싱턴 대학으로 오라 한다.

한편, 웨스트버지니아 대학은 남북전쟁이 끝난 후 연방정부에서 땅을 공짜로 주어 설립한 대학(Land Grant University) 중 하나인 주립대학인데, 주립대학이라서 학기당 학비는 450달러 정도였는데, TA를 주겠다고 한다.

장학금 액수나 학교 명성으로 따지면야 워싱턴대학으로 가야 했으나, 이 경우 학비는 면제지만 생활비를 마련하려면 주내가 또 고생을 해야 할 것이 분명하여, 웨스트버지니아 대학으로 옮기기로 결정했다.

웨스트버지니아 대학에서 TA를 받으면 매달 500여 불을 월급으로 받을 수 있으니, 주내가 불법취업을 하지 않아도 생활을 할 수 있기 때문이다.

그래서 그 다음 학기에 웨스트버지니아 대학으로 학교를 옮겨 버렸다.

학교 수난 II: 전학

공부하기

미국 유학 가서 일을 하며 학교를 다닌다는 것은 거의 불가능하다는 것이 내 생각이다.

다른 학과는 잘 몰라도 정치학과만큼은 그렇다.

다른 대학도 비슷하리라 생각하는데, 이 대학 정치학과에서는 이수해야 할 과목들을 크게 정치 이론(Political Theory), 미국정부론(American Government), 국제관계론(International Relations), 비교정치론(Comparative Politics), 행정학(Public Administration)의 다섯 분야로 나누고, 이들 가운데 4분야를 선택하여 이수하여야 한다.

이 다섯 분야는 각각 프로세미나라는 이름이 붙은 필수 과목이 하나씩 있고, 그 외에 공통 필수 과목으로 미시경제학과 거시경제학이 있으며, 선택 필수과목으로 연구(조사)방법론, 컴퓨터 관련 과목, 초급통계학, 중급 통계학, 고급통계학 등이 있어 이들 중 몇 개 이상을 반드시 이수해야 한다.

한편 이 이외에도 부전공으로 자신이 선택하는 학과의 과목들을 들을 수 있으며, 정치학 다섯 분야의 프로세미나 이외에도 각 분야별 선택 과목들이 있다.

보통 대학원에선 한 학기에 3학점짜리 세 과목을 듣게 되는데, 학기마다 프로세미나 이름이 붙은 과목 하나와 다른 과목 두 개를 신청하는 것이 일반적이다.

그런데 프로세미나라는 이름이 붙은 과목은 교과서만 10권이 넘는다. 어떤 것은 15권도 더 된다. 여기에 매주 읽어야 할 논문이 대여섯 편에다가 이와는 별도로 학기 중에 반드시 읽고 비평해야 하는 책이 별도로 한두 권씩 각 학생들에게 주어진다.

만약 프로세미나 한 과목과 프로세미나가 아닌 두 과목을 신청하면 한 학기에 읽어야 할 책만 해도 아무리 작게 잡아도 최소 16권이 넘고 매주 읽어야 할 논문이 15편이 넘는다.

그러니 학기마다 세 과목을 신청하면 일을 안 해도 따라가기가 쉽지 않다. 더욱이 말도 잘 못하는 데다 귀가 트이지 않으니, 책이나 논문은 반드시 읽고 가야 한다.

결국 대학원 정치학과에 다니는 학생은 주말이 되거나 봄방학(spring break: 약 일주일)이나 추수감사절 방학(thanksgiving break 약 일주일), 그리고 크리스마스 방학(Christmas break 약 일주일)이 되어도 맥주 한 잔 마시고 쉴 틈이 없다.

보통 학교 강의가 끝나면 도서관으로 직행하여 밤 12시나 되어 집으로 돌아오는 것이 일과였다.

공부하기

그렇지만 프로세미나 이외의 다른 과목들은 비교적 수월하다. 매주 읽고 가서 토론해야 하는 논문들이 대여섯 편인 건 비슷하지만, 교과서 는 두세 권에서 서너 권이 보통이어서 비교적 부담이 덜하다.

내 경우에는 한국에서 행정학을 전공하였고, 대학에서 행정학을 가 르쳐 왔기에 행정학 관련 과목들은 그리 어렵지 않았고, 사회학 쪽 과 목을 부전공으로 선택했는데, 이 과목은 읽어야 할 교과서가 세 권에 불과했고, 이것 역시 내가 한국에서 공부했던 분야이기에 무난했다.

공통필수 과목인 미시경제학과 거시경제학 역시 비교적 어렵지 않았 다. 경제학 과목은 교과서도 두 권 뿐이고, 주로 수식과 그래프로 설명 하는 것이어서, 그리고 무엇보다도 한국에서 공부했던 것이어서 말을 잘 못하는 유학생으로서는 비교적 어렵지 않은 과목이다.

통계학 역시 전혀 어렵지 않다. 요건 한국 학생들을 제외한 다른 학 생들이 숫자에 대한 공포증이 많아 워낙 어려워했으나, 수학에 기초가 많은 한국 학생들에겐 정말 룰루랄라 과목이다.

거기에다 내가 들은 통계학 과목을 맡은 교수는 그 학교에서 최우수 교수로 뽑힌 분으로서 아주 쉽고 재미있게 설명을 해주는 까닭에 교과 서와 논문만 잘 읽고 가면 전혀 어렵지 않은 과목이었다.

한국에서 수학을 지지리도 못했던 나로서도 요 과목만큼은 전혀 부 담 없이 공부할 수 있는 그리고도 A+를 받을 수 있는 효자 과목이었 다.

반면에 정치학 과목들은 주어진 과제물들을 읽고 오면, 강의 시간에 교수가 질문을 하고 그에 대해 토론하는 것으로 대부분의 시간을 보내 는 것이어서, 제대로 말도 못하고 듣지도 못하는 나로서는 주어진 과제

미국 생활 I: 유학

물들을 반드시 읽고 가지 않으면 안 되는 거다.

반면에 다른 과목들, 예컨대, 경제학 과목이나 통계학 과목들은 교수가 열심히 가르쳐주는 강의 위주였고, 부전공으로 선택한 사회학 과목들은 물론 정치학 과목들처럼 토론 중심의 강의였지만, 읽을거리가 그렇게 많지 않아 그리 어렵지는 않았다.

괜히 정치학을 전공으로 삼았다는 생각도 든다. 사회학이나 교육학 또는 통계학 등을 전공했으면 어땠을까라는 생각이 문득문득 나기도 했다.

내가 보기에, 다른 학과는 유학하기가 쉬울 것 같아서였다. 죄송한 생각이지만!

여하튼 내가 능력이 모자랐는지, 학교 공부 따라가기는 무척 어려웠다. 나뿐이 아니라 정치학과에서 박사 과정을 밟는 M군도 마찬가지였다.

정치학과 학생들은 쉬는 시간이 없다.

반면에 다른 과 학생들은 주중에도 술 마시고, 놀러가기도 하고, 테니스를 치기도 하며 여유를 즐기는데, 당시에 난 이런 걸 보면 도저히 이해할 수가 없었다.

학과 선택에는 자신이 원하는 학문이 제일 중요하겠지만, 한국 사람에게는 말로만 떠드는 학문보다는 강의 위주의 학과를, 그리고 수학 등을 응용하거나, 실험실에서 시간을 보내는 이공계 학과들을 선택하는 게 낫다고 본다.

물론 영어를 잘하고 잘 떠드는 것을 좋아하는 사람들은 토론 중심으로 진행하는 학과를 선택할 수 있음은 말할 것도 없다.

공부하기

점수 따는 법

미국 온 첫 학기는 재수 없게, 정말 재수 없게 언어연수원을 중간에 졸업하고 드디어 그 다음 학기엔 정치학과에서 프로세미나 한 과목과 다른 과목 두 개를 선택해 공부를 시작하였으나. 공부하기가 정말 어려웠다.

같은 과의 김□□ 씨는 오클라호마 대학에서 석사 과정을 마치고 왔기에, 그리고 언어에 소질이 있어 영어를 잘 하였기에 별 문제가 없었으나 난 잘 듣지를 못하고 말도 잘 못하였다.

학점은 중간고사와 기말고사 등 시험 점수, 그리고 토론 점수를 가지고 매기는 게 보통이었는데, A를 맞기가 어려웠다. 중가고사와 기말고사는 미리 예상 문제를 몇 개 만들어 시험 전 날 집에서 열심히 작문을 하여 달달 외워 치렀기 때문에 늘 A 아니면 A+였다.

교수가 답안지를 보면 놀라는 것이다. 어찌 이런 명문으로 답안을 기똥차게 작성하였는지! 평소 수업 시간엔 벙어리처럼 얌전하게 앉아 있더니만…….

벙어리 귀머거리가 왜 필기시험만 보면 A+인지, 그것이 알고 싶었을 거다.

여하튼 내가 교수를 깜짝깜짝 놀라게 만드는 재주가 있는 줄은 예전엔 미처 몰랐던 사실이다.

그러나 문제는 토론 점수였다.

꾸어다 논 보릿자루처럼 수업시간에 말 한마디 제대로 못하고 앉아 있으니 내가 교수라도 토론 점수를 잘 줄 수가 없는 거다.

그러니 토론 점수는 늘 B밖에 안 나오는 거다.

토론 점수가 B밖에 안 되니 종합점수는 B+일 수밖에 없었다.

수업 시간에 아무 말도 못하고 있으니, 바보 취급을 하는 것 같기도 하고, 내 실력에 비하여, 아니 공부한 것에 비하여 점수가 제대로 나오지 않으니 은근히 기분이 좋지 않았다.

미국에선 말을 잘 해야 점수가 높다.

다른 애들이 씨부리는 것을 보면 한심하기도 하고, 책도 안 읽고 그냥 떠드는 것 같아 얼마든지 반박을 할 수가 있다고 생각하지만, 머릿속에서 작문을 하다보면 벌써 그 주제에서 벗어나 다른 주제로 넘어가 버리니 말을 할 수가 있나!

한 학기를 이렇게 보낸 이렇게 해서는 안 되겠다 싶어 다음에는 작전을 바꾸었다.

수업 시간에는 입 꽉악 다물고 있는 것은 마찬가지였지만, 수업 시간이 끝난 다음. 바로 교수를 찾아갔다.

점수 따는 법

교수실에 교수를 따라 들어가서 교수와 토론을 하는 거였다.

"아까 OOOO는 이렇게 이야기하고, XXX는 저렇게 이야기하고, △△△△는 어쩌구 저쩌구 하였는데, 내가 보기엔 전혀 그렇지 않다. 내 생각은 이러이러하다. OOXX 논문에선 이렇게 주장하고, XXOX가 쓴 책에선 요러요러하게 설명하지 않느냐?"

"너 말이 맞다. 그런디 왜 아까 바로 이야기하지 않고?"

"우리 한국의 문화는 잘 듣는 데 치중하지 너희들처럼 지껄이는 것을 좋아하지 않는다. 우리 속담에 '침묵은 금'이라는 말이 있다. 내가 몰라서 말을 안 하는 게 아니다. 게다가 나는 아직 너희들 말이 익숙하지 않아 말을 하려고 하면 자꾸 더듬게 되고, 벌써 주제를 벗어난 경우가 대부분인데, 다시 지나간 주제로 돌아가는 것은 토론상 예의에 어긋나는 것 같아……."

"니 영어가 어때서? 내가 볼 때에는 아주 잘하고 있는 거다."

"……."

"그리고 미국에선 지가 말하고 싶은 대로 말을 하는 사회다. 틀린 말이든, 바른 말이든!"

허긴 미국이 '나' 중심의 사회이기 때문에 다른 사람들이 이야기하고 있는 중간에도 서슴 없이 "Excuse me!" 하고 끼어들어 자기말만 막 주절대도 전혀 예의에 어긋나지 않는다는 것은 얼마 전부터 깨닫기는 했지만……. 나에겐 전혀 익숙하지 않은 것이다.

"우리 반 애들은 내 수준에 안 맞아. 그러니 수업 끝나면 당신하고 나하고 토론을 하면 어떨까?"

"얼마든지 환영한다. 사실 미국 애들은 공부를 안 한다. 책도 논문도 안 읽어오고, 주둥이만 나불대지. 제일 열심히 공부하는 학생들은 한국 학생들이다. 그 다음이 중국 학생과 동남아 학생이고."

교수가 알고 있기는 알고 있구나!

그래서 그 다음부터는 토론하는 동안에 읽은 책을 바탕으로 대답을 하려고 머릿속으로 영작을 하지는 않았고, 그 시간이 끝나기가 무섭게 교수 뒤를 졸졸 따라가 내 생각을 이야기하곤 했다.

그 결과는 A+였다.

점수 따는 법

미국 생활 II: 일상

적응

미국에 온 지 어느 덧 한 달이 지났다.

그럼에도 아직도 한국엘 돌아가고 싶은 마음이 굴뚝같다.

음식도 안 맞고, 그래서 한국 식당엘 몇 군데 찾았는데 음식이 이들에게 맞추어서 그런지 달아서 별로다.

나 자신이 워낙 담백한 것을 좋아해서 그런지 모르겠다.

다른 사람들은 다 맛있다는데…….

집사람이 재료를 사다가 해주는 것은 그래도 훨씬 나은 편인데, 그래도 한국에서처럼 맛이 없다.

쌀이 안 좋아서 그런지 밥에서도 냄새가 나고 고기에서도 냄새가 난다.

우리 입에 맞는 것을 골라서 잘 사야 하는데, 아직 어떤 것이 우리 입, 아니 내 입에 맞는지 알 수가 없다.

미국 생활 II: 일상

다만 그 가운데에서도 김치만큼은 개운하니 다행이다.

어제는 중국집에 갔는데 무엇을 시켜야 할지 몰라 한참 공부를 한 후에, 나는 볶음밥[작반 炸飯]을 발견하여 그것을 시켰고, 집사람은 여러 가지가 들어간 볶음 국수[작면 炸麵]을 시켰는데, 결국 금방 후회하게 되었다.

들어간 재료가 문제가 아니라, 냄새와 맛이 전혀 익숙하지 않아서, 우리의 몸이 자체적으로 거부 반응을 일으키는 거였다.

그나마 볶음밥은 그런대로 먹을 만한데 국수만큼은 정말 사양하고 싶은 거였다.

그래도 아내는 그것이 아까운지(그것이 아까운 게 아니라 돈이 아까운 것이겠지만) 억지로 1/3쯤 먹다가 말았다.

볶음밥도 양이 엄청 많았으나 배가 너무 고파서 둘이서 먹어 치우긴 했다.

그런데도 속이 니글니글하여 집에서 담근 김치 생각이 간절하였다. 하다못해 단무지라도 있었으면 싶었다.

그 다음 날 아침이다. 집사람이 아침으로 시리얼에다 우유를 부어 주는데,

"여보, 영 밥맛이 없어요. 통 음식이 입에 맞는 것이 없다니까……."

"당신 입맛이 까다로워서 그래요. 당신이 음식에 입맛을 맞춰 봐요. 적어도 그런 대로 먹을 만하지.

당신은 모든 것을 당신에게 맞추려고 하니까 세상사는 것이 힘든 거예요.

당신을 세상에 맞추어 보세요. 그러면 한결 삶이 편해질 겁니다."

적응

지당한 말씀이다.

세상에 나를 맞추면 훨씬 내 신세가 편해질 것이다.

그런데 그러면 내 존재는?

"세상에 맞추며 사는 게 내 존재가 되는 거지, 뭐!"

그런데 왜 그렇게 안 되는 거지?

　　　* 4315(1982)년 9월 11일 월요일 추석 전 날 미국 텍사스에서 씀.

자존심: 자유급식제도

텍사스에 처음 갔을 때였다.

그 때 데리고 간 큰 녀석은 미국 나이로 다섯 살, 막내는 세 살이었다. 미국에서는 만(滿) 다섯 살이면 학교의 유치원(幼稚園) 과정에 의무적(義務的)으로 들어가게 된다.

그래서 큰 놈을 유치원 과정에 집어넣었는데, 학교 가기 싫어 죽으려고 했다.

그도 그럴 것이 말이 한 마디도 안 통하는데다가 성격도 내성적(內性的)이요, 학교 가면 전부 자기와는 다른 아이들뿐이니 녀석이 얼마나 불안(不安)하고 학교 가기 싫어했는지는 알만 하다.

내가 무서우니까 할 수 없이 학교에 다니기는 하는데 도대체가 학교는 재미없는 거였다.

학교 갔다 와서 제 동생하고 노는 것이 그 녀석에게는 유일한 낙

(樂)이었다.

　그래서 안 되겠다 싶어 미국 애들을 친구로 붙여주려고 무척 노력을 하였는데 결과는 실패였다.

　한 번은 집 근처에 사는 미국 꼬마들을 불러서, 같이 놀아 주면 1달러씩 주기도 했는데 도대체가 효과(效果)가 없었던 것이다.

　아이들이라 그런지 미국 아이들도 처음 한 이틀 정도는 좋다고 1달러씩 받아갔으나, 말도 안 통하는 우리 아이와 놀려고 하니 재미가 없었던 거다. 곧 시들하여 돈을 준다고 해도 안 놀아 주는 것이다.

　학교 선생님이 좀 더 보드랍게 감싸주고 신경을 써주면 그래도 좀 나을 텐데, 담임(擔任) 선생님도 아주 쌀쌀한 인상(印象)이었으니 큰 놈이 고생한 것은 이루 말할 수 없을 정도였다.

　아마도 인종차별(人種差別)인지, 별로 관심을 쏟지 않은 것 같다.

　학교에서는 이 녀석, 모르던 알던 막 씨부려야 말이 늘 텐데 쓸 데 없는 자존심(自尊心)만 날 닮아서 말 한마디 안 하고 옆의 애 눈치만 보면서 공부를 따라갔다.

　그러니 성적(成績)이 좋을 수가 없었다.

　성적보다도 2년을 그렇게 지내느라고 얼마나 고생을 했겠는가?

　미국에서는 앞에서 말한 바와 같이 아동보호가 잘 되어 있다.

　학교급식제도(學校給食制度)에 따라 무료 급식을 신청하였으므로, 큰 놈한테 학교에서 아침을 꼭 먹으라고 이야기하였다.

　그런데, 학교 갈 때 마다 제 엄마에게 1달러를 내놓으라고 해서 물어 보았더니 아침을 먹을 때 돈을 내야 한다는 것이었다.

　그래서 "아빠가 미리 냈으니까, 너는 그냥 먹어도 된다."고 설명해

주었더니 그냥 학교에 갔다.

그리고는 그 다음 날도 제 엄마에게 돈을 달라고 하는 것이었다.

나는 주지 말라고 했으나 집사람이 가끔 주면 받아 가지고 갔는데 집사람도 몇 번 주다가 주지 않고 약 한 달 쯤 지났다.

한 달쯤 지나 학교에 가 보았더니 급식 시간인데 식사를 나누어 주는 배식구(配食口) 앞에서 어떤 애들은 돈을 내고 어떤 애들은 "프리(free: 무료)!"하고는 음식을 타서 먹는다.

식사를 배급하는 사람이 누가 무료 급식자인지 잘 모르니까 무료 급식을 받는 아이들은 "프리"라고 말하도록 되어 있는 모양이었다.

그런데 이 녀석은 아무리 찾아봐도 보이질 않는 것이었다.

알고 보니, 밥 먹을 때마다 식당엘 안 가고, 거의 한 달을 굶은 것이었다.

녀석이 "프리"가 무슨 뜻인지는 몰랐으나 제 딴에는 되게 자존심이 상했던 모양이다.

제 엄마가 돈 주면 돈 내고 받아먹고 안 주면 그냥 굶는 것이었다.

그래서 그 다음부터는 할 수 없이 돈을 챙겨 주는 수밖에 없었다.

2년 후 웨스트버지니아로 옮긴 후에도 역시 무료 급식을 신청하였는데, 이 학교에서는 텍사스처럼 무료 급식 아동들에게 "프리"라고 시키지 아니하고, 작은 달력 같은 카드를 만들어 놓고 아이들마다 배식(配食)하면서 펀치로 먹은 날만 구멍을 뚫어 한 달 후에 부모에게 카드와 함께 비용(費用)을 청구(請求)하였다.

무료 급식 아동의 경우 역시 구멍 뚫린 카드가 오지만, 청구 금액은 '없습니다.'라고 되어 있다.

자존심: 자유급식제도

　그래서 여기에서는 아침 점심 아이들의 식사 비용이 절약(節約)되었을 뿐만 아니라, 아이들도 자존심도 상(傷)할 리 없었다.

　똑같은 제도이지만 시행 과정에서 이와 같이 다르니 우리나라에서도 학교 무료급식제도를 도입(導入)할 때, 아이들의 자존심(自尊心)도 생각하여 세세한 절차에 이와 같이 신경을 써야 할 것이라고 생각한다.

　여하튼 아빠 때문에 우리 큰 놈이 텍사스에서는 너무 고생을 하였다. 이 점 아이들에게 굉장히 미안하게 생각한다.

　　　　　　* 4324년 8월 30일 신정동에서 4315년-4317년의 일을 씀.

자동차 구입

미국에 오자마자 집을 구하고 난 후 바로 차를 샀다.

차가 없이는 슈퍼마켓에 갈 수도 없고, 생활 자체가 안 된다. 새삼 미국은 땅이 넓은 나라라는 걸 체험한다.

자동차는 포드 LTD라는 대형 고급차인데, LTD란 'limited'의 준말로 우리말로 쉽게 말하면 '한정판'이다.

아니 아무리 중고차라도 그렇지, 돈도 없다며 이런 고급 승용차를 샀다고?

오해마시라!

돈이 많아서 산 게 아니다. 돈이 없어서 산 것이다.

미국에서 싼 중고차는 쿠페라든지 링컨 컨티넨탈이라든지 하는 고급 승용차이다.

왜냐고?

자동차 구입

고급 승용차일수록 성능도 좋고, 그래서인지 기름이 많이 들기 때문이다.

이 차는 지역 신문에 850달러에 나왔는데, 김□□ 씨와 함께 차를 보러 갔다. 내가 차가 없으니 김□□ 씨 차를 타고 갈 수밖에.

자동차는 연식이 10년 정도 지났으나 흠 하나 없는 깨끗한 차였다. 주인은 백인 할아버지인데 새 차를 장만하고 차를 중고시장에 내 놓은 것이다.

나는 미국이 처음이어서 물가를 잘 모르지만 '차가 참 싸다.'는 생각은 했다.

그렇지만 한국 사람들은 깎아야 직성이 풀린다. 나 역시 그렇다.

"800달러에 해주세요."

50달러를 깎아본다.

"안 돼요."

고개를 흔든다.

옆에서 김□□ 씨가 나를 잡아끈다. 왜 그러나 했더니,

"송 선생, 그냥 사. 사!"

그래서 그냥 850달러 주고 이 차를 샀다.

역시 미국 물을 나보다 더 먹은 김□□ 씨 말이 맞다. 이렇게 좋은 차를 이렇게 싼값에 사다니!

나중에 알고 보니, 자동차 엔진에서 엔진 오일이 조금씩 새는 거다. 그래서 이 주일에 한 번쯤은 엔진 오일을 한 통씩 보충해주어야 한다.

자동차 수리소에 가서 물어보니, 만약 엔진 오일 새는 곳을 고치려면 자동차 산 값만큼, 아니 그보다 훨씬 더 돈이 든다고 한다. 자동차의

생명은 엔진과 트랜스미션이라면서.

그러면서

"그냥 엔진 오일을 체크하다 모자라다 싶으면. 한 통씩 보충해주면 되어요. 그냥 써도 큰 문제는 없어요."

이를 고치려면 엔진을 다 뜯어내야 하니 거기에 드는 노동비가 수리비보다 더 크다.

"아하! 그래서 이차를 싸게 팔았구나!"

그래서 엔진 오일을 보충해주며 쓰기로 했다.

엔진 오일 값이야 6통에 한 5달러 정도밖에 안 하니, 6통을 사서 트렁크에 넣어놓고 보름에 한 번 정도 한 통씩 보충해주며 사용했다.

보충해주는 엔진 오일 값이야 기름 값에 포함된 거라 생각하니 크게 돈 드는 것 같지도 않았다.

에어컨 잘 나오지, 넓고 커서 안락하지, 속도 잘 나오지, 크루스 컨트롤이 되니 고속도로 운전하기 편하지, 나무랄 데 없이 훌륭한 차라서 지금도 고마움을 느낀다.

처음 차를 산 다음, 운전면허증을 따기 위해서는 필기시험과 실기시험의 두 단계를 거쳐야 한다.

일단 필기시험은 시험문제를 예상하는 문제집을 가져다가 몇 번 보고는 그 다음날 시험을 보았는데 백 점이라는 우수한 성적으로 단번에 합격하였다.

사실 필기시험 문제는 상식선에서 생각하면 되는 것이어서 그렇게 어려운 것이 아니다.

필기시험에 합격하면 임시 운전면허증을 준다.

자동차 구입

미국에선 차 없이 생활하기가 어려운지라 일단 운전할 수 있는 임시 면허증을 주는 것이다.

이 임시 운전면허증을 가지고 운전 연습을 해서 실기시험을 보아 합격하면 정식 면허증을 준다.

문제는 실기시험이다.

어지간하면 운전면허를 내주는데, 면허시험장의 시험관이나 직원들은 지들도 공무원이라고 텃세가 말이 아니다. 불친절한 건 말할 것도 없고, 우리가 동양인이라서 그러는지 디게 틱틱거린다.

허긴 지들이 면허를 줄 수도, 안 줄 수도 있는 권한을 가지고 있으니, 틱틱거려도 그 앞에서는 굽신거릴 수밖에 없다.

어찌되었든 결과가 어찌되었냐고?

결론적으로 말하면, 주내는 주행 연습을 며칠 한 후 금방 땄는데, 난 두 번인가 실기시험에서 떨어졌다.

에이!

그렇지만 결국에는 면허증을 땄으니까 성공한 거다. 이것을 '인간승리'라고 하기는 좀 뭣하지만!

자동차 여행

☐1 자동차를 사서 자동차면허 실기시험을 보기도 전에 이 차를 몰고 옐로우스톤을 방문하는 기회가 생겼다.

이 대학에 먼저 와 있던 유학생들 몇 가구가 개학하기 전에 옐로우스톤을 갔다 오자 하여, 필기시험을 통과한 임시면허증만 가진 채 이 차를 끌고 나도 여기에 끼게 된 것이다.

하두 오래된 옛일이라 다 기억이 나지는 않으나, 삼 일 동안 북쪽으로 올라가서 하루 구경하고 다시 삼 일 동안 내려온 여행이었다.

내 맘 같아서는 옐로우스톤에 며칠 더 있었으면 하였으나, 같이 간 일행 중에 화학과 박사 과정을 밟고 있는 곽○○ 선생이 실험실을 오래 비워둘 수 없다 하여 일주일 중 하루 관광하고 바로 돌아온 것이다.

하루 보고 육 일 동안 운전만 했으니, 짧은 여행이라 해야 할까 긴 여행이라 해야 할까?

자동차 여행

걸린 시간은 총 7일이지만, 관광은 하루이니 긴 여정의 짧은 여행이라고 해야 맞는 말일 것이다.

어찌되었든 덴튼(Denton)에서 북향하여 오클라호마(Oklahoma)로, 여기에서 서향하여 뉴멕시코(New Mexico)로, 그리고 다시 북향하여 콜로라도(Colorado)를 거쳐 다시 서향하여 유타(Utah)를 지나 북향하여 와이오밍(Wyoming)의 옐로스톤 국립공원(Yellowstone National Park)의 남쪽 입구로 들어가 올드 페이스풀 가이저(Old Faithful Geyser)를 보고 여기 로지(lodge)에서 숙박한 다음, 차를 몰고 북쪽으로 가 맘모스 핫 스프링스(Mammoth Hot Springs)를 보고는 다시 동쪽의 옐로우스톤 그랜드 캐년(Yellowstone Grand Canyon)과 타우어 폭포(Tower Fall)를 보고, 와이오밍 주를 횡단하여 다시 동쪽으로 갔다가 남하하여 콜로라도(Colorado)와 켄자스(Kansas)를 지나 오클라호마(Oklahoma)에서 덴튼으로 돌아오는 여정이었다.

덴튼에서 오클라호마, 뉴멕시코로 가는 길은 그냥 황량한 벌판이었는데, 누런 풀들 사이로 가끔 노루들이 떼를 지어 풀을 뜯는 모습, 그리고 저 멀리 꺼떡꺼떡하는 석유 채굴기가 가끔 보이는 길이었던 것으로 기억한다.

그러다 콜로라도로 들어서자 갑자기 공기가 달라지고 살갗을 스치는 바람이 상쾌한 것이 마치 한국에 온 것 같았다.

위도가 우리나라와 비슷해서 그런가?

길가의 집들은 분명 미국인데, 산들은 마치 한국의 산들을 보는 것 같다. 물론 훨씬 크긴 하지만.

우리나라 산들은 걸어서 걸어서 구경하는 것이라면, 미국의 산들은 자동차를 타고 달리면서 구경하는 것이다. 그만큼 규모가 크다.

콜로라도와 유타 주는 록키 산맥(Rocky Mountains)의 산들을 자동차로 달리며 구경하는 기분이 쏠쏠하다.

옐로우스톤에서는 간헐천, 특히 제 시간에 시간 맞추어 솟아오르는 올드 페이스풀 가이저와 맘모스 스프링스로 가는 도중 보았던 이름 없는 파란색의 간헐천, 노란 색의 간헐천, 마치 진흙 가운데에서 팥죽 끓듯 '폭폭'거리는 간헐천, 그리고 수증기가 가득하여 앞이 잘 안 보이는 이런 간헐천 사이로 길을 내어 마치 지옥으로 들어가는 듯한 느낌을 받고 걸었던 것이 특히 기억에 남는다.

맘모스 스프링스와 옐로우스톤 그랜드 캐년의 협곡 역시 볼 만한 것이었고, 타우어 폭포(Tower Falls)에서는 한 폭의 동양화를 보는 듯한 느낌을 잊을 수 없다.

난 동양화를 보고 옛날 사람들이 상상으로 그린 걸로 생각했으나, 설악산에 가본 후 이는 상상화가 아니라 사실화라는 것을 깨달았는데, 타우어 폭포에서의 느낌은 설악에서 느낀 것과 같은 성스러움이었다.

다시 되돌아 나오는 길은 옐로우스톤 옆구리의 오른쪽 길로 와이오밍 주를 횡단하는 길이었는데, 8월말인데도 갑자기 앞이 안 보일 정도로 눈이 쏟아져 차가 미끄러지지 않도록 조심조심 기어가며 운전했던 경험을 하기도 했다.

옐로우스톤은 당시 내가 꼽은 최고의 여행지이다. 지금도 이 생각에는 변함이 없지만.

이 여행을 통해서 느낀 건 정말 미국은 큰 나라라는 것이다.

자동차 여행

② 텍사스에 온 그 다음 해 여름, 미국의 바다는 어떠한지 궁금하기도 하고, 휴스톤(Houston)에 있는 미국 항공우주국(NASA)도 구경하고 싶어 자동차를 타고 남쪽으로 향했다.

달라스(Dallas), 포트워스(Fort Worth)를 거쳐 오스틴(Austin)으로 가 고등학교 동창으로 텍사스주립대학 오스틴 캠퍼스에 유학 온 박MY군을 만나 오랜만에 회포를 풀고, 산 안토니오(San Antonio)를 거쳐 휴스톤(Houston)을 지나 갤베스톤 (Galveston)까지 가서 바다를 보고 돌아오는 여정이었다.

산 안토니오 근처 고속도로에서 "내쳐럴 캐번(Natural Cavern), 세계 최대의 동굴!"이라는 간판을 보고, 가는 길에 보고 가자는 마음으로 동굴로 갔다.

동굴로 들어가 보니, 이건 정말 기대 이상이었다.

이 동굴은 우연히 들어갔지만 내 생애에 본 동굴 중 백미였다. 위대한 신의 조각을 본 듯하다.

종유석 등도 다양하고 아름다울 뿐 아니라, 들어가 둘러보다 보면 높이가 20~30미터, 폭이 40~50미터 되는 어마어마하게 큰 둥근 방도 있고, 그 방 벽과 천정에는 종유석들이 휘황찬란하게 달려 있는 것이 특히 기억에 남는다.

이 세계 최대의 동굴을 본 이후, 우리나라의 종유석 동굴들이나 미국 애팔래치아 산맥에 있는 동굴들 등은 정말 눈에 차지 않았다.

다시 방향을 틀어 휴스톤으로 갔으나, 날씨가 습기가 차고 어찌나 무더운지 도저히 나사(NASA) 구경도 하기 싫어져서 그냥 갤베스톤으로 향했다.

휴스톤은 정말 사람 살 데가 못 된다는 생각이다.

이에 비하면 달라스나 덴튼은 기온이 높아 뙤약볕 밑에선 덥다는 느낌보다 뜨겁다는 느낌만 들었을 뿐 공기가 건조하여 그늘 밑에만 가면 시원한 정말 사람살기 좋은 곳이다.

갤베스톤은 휴스톤 남쪽 바닷가에 있는 도시인데, 바닷가로 가보았으나, 역시 무덥기만 하고 모래사장 너머로 광활한 바다만 펼쳐져 있을 뿐, 볼 것이 아무 것도 없었다.

우리나라의 해수욕장의 백사장은 이에 비하면 정말 아름다운 백사장이다. 또한 백사장이 없는 곳도 바닷가에 돌로 된 바위들이나 저 멀리 섬들이 보이는 까닭에 아기자기하고 아름다운데 비하여 이곳 바다는 그냥 밋밋할 뿐이었다.

더욱이 허리케인이 불어오는 시기여서 남쪽의 습한 바람 때문인지 휴스톤보다는 덜하지만 역시 눅눅하고, 날씨는 흐려 거무튀튀한 전경만 보일뿐이다.

다시 차를 돌려 텍사스로 돌아온다.

돌아오는 도중 멀리서부터 소용돌이치며 부는 토네이도(tonado)가 움직이며 가까이 오는 것을 볼 수 있었다.

토네이도는 회오리치며 솟아오른 용오름 현상인데 이 바람은 소용돌이치며 집 지붕이나 자동차까지도 하늘로 들어 올려 박살을 내는 무서운 바람이다.

저 바람이 우리 자동차를 덮치면 어쩌나 싶어 가슴을 졸였지만, 이쪽으로는 오지 않아 다행이었다.

자동차 여행

다만 북으로 올라오면서 이 토네이도가 휩쓸고 지나가 폐허화된 집들을 많이 보았다.

이것도 관광이라면 관광일까?

여하튼 갤베스톤으로의 여행은 세계 최대의 동굴 구경과 토네이도가 휩쓸고 간 자리, 그리고 휴스톤의 축축하고 무더움만 기억에 남는다.

③ 유학 기간 중 세 번째 여행은 포드 LTD 승용차에 짐을 싣고, 텍사스(Texas)의 덴튼(Denton)을 떠나, 아르칸사(Arkansas), 미시시피(Mississippi), 테네시(Tennessee), 켄터키(Kentucky), 노우스 캐롤라이나(North Carolina)를 거쳐 애팔래치아 산맥의 정상을 잇는 도로인 블루리지 라인(Blue Ridge Line)을 따라 버지니아(Virginia)를 거쳐 웨스트버지니아(West Virginia)의 모르간타운(Morgantown)으로 이주하는 일주일간의 미국 횡단여행이었다.

850달러 주고 산 포드 LTD는 이삿짐을 가득 싣고 우리 네 식구를 태우고도 잘 달린다. 정말 힘이 좋고 안락하다.

이 영행에서는 테네시의 채터누가(Chattanooga)에 들려 절벽 위 돌의 도시인 록시티(Rock City)의 정원과 지하 동굴 속에 있는 루비 폭포(Ruby Fall)를 구경하며 갔던 것이 생각난다.

그리고 그레잇 스모키 마운틴 국립공원(Great Smoky Mountains National Park)도 들렸으나, 국립공원치고는 정말 정말 별로 볼 게 없었다고 기억한다.

산속에 숲은 잘 우거져 있으나, 계곡은 보잘 것 없고, 계곡의 물이라는 게 맑고 깨끗한 물이 아니라 황록색의 발 담그기도 싫은 물이었다.

계곡의 물빛이 탁하여 눈에만 더럽게 보였지 사실은 더럽지 아니한 물일지는 모르겠으나, 이런 물에서도 사람들은 발가벗고 목욕하며 희희덕거리며 좋다 한다.

이 국립공원에 있는 박물관에도 들렸으나 정말 볼 것이 없었다. 미국 개척 당시의 물건들, 곧, 지금 사용하는 것과 별로 다르지 않은 낡은 후라이팬 등의 생활 도구들이 진열되어 있을 뿐이었다.

여기에서 "미국의 역사가 역시 짧긴 짧구나."라는 사실을 확인했을 따름이다.

다시 노우스 캐롤라이나로 들어가 애팔래치아 산맥의 산 정상들을 이어가는 도로인 블루 리지 라인(Blue Ridge Line)을 타고 가면서 보니 여기저기에 전망대(Look-out) 이라는 표지판이 보인다.

차를 세우고 전망대로 가보았으나, 동서남북 어디를 내려다보아도 그저 숲바다[林海 임해]가 펼쳐져 있을 따름이었다.

무릇 산의 아름다움이란, 숲이 잘 우거진 가운데, 기암괴석이 솟아 있고, 맑은 계곡과 함께 가끔가다 물웅덩이[沼 소]도 보이고, 폭포도 있어야 하는데, 그저 나무만 꽉 차 있는 것이다.

아니 블루 리지 라인이 시작되는 어느 곳인가에서 폭포가 있다는 팻말을 보고 차를 세운 다음 폭포 구경에 나서긴 했는데, 결과는 실망이었다.

한 시간 이상 걸어 들어가면서, 나오는 사람들에게 폭포가 어떠냐고 물으니, 나오는 사람마다 "멋져!(gorgeous)", "대단혀(great)", "기똥

자동차 여행

차(wonderful)" 등등 온갖 찬사를 늘어놓아 기대가 컸는데…….

애이구, 조걸 폭포라고?

높이가 10미터 남짓 될까 말까, 아무리 크게 잡아도 20미터도 안 되는 물줄기를 보고, 저런 감탄사를 내뱉다니!

속았다는 느낌과 함께 이들의 뇌가 의심스럽기만 하다.

그렇지만 이들의 뇌를 의심하면 교양 없는 나쁜 사람이 되니 그래서는 안 되고, 저런 작은 것을 보고도 감탄할 줄 아는 이들의 감성적 풍부함에 감탄할 줄 알아야 한다.

그래서 폭포의 아름다움에 감탄하는 것이 아니라, 이들의 감탄사에 감탄하면서 되돌아 나온다.

허긴 우리나라의 산과 폭포, 계곡을 즐기던 한국인의 눈에는 이러한 경치가 "전혀 아니올시다."인 걸 어쩌나?

여기서 새삼 느낀 것은 우리나라가 정말 말 그대로 삼천리(三千里) 금수강산(錦繡江山)이라는 것이다.

우리나라에서는 버스를 타건 걸어가건 간에 한 두 시간만 가면, 맑은 계곡물에 발 담그고 소주 마실 곳이 전국 어디에나 있다. 참으로 축복받은 나라이다.

산 정상으로 달려가며 보아야 왼쪽도 숲바다, 오른쪽도 숲바다일 뿐 아름답다는 생각은 전혀 나지 않고 이제 지루하기만 했다.

그렇지만 작은 것도 크게 보고, 보잘 것 없는 것도 멋지게 보는 넓은 마음! 이 어찌 아름답지 않을손가!

이리 보나 저리 보나 똑같은 숲바다를 보고도 지루해하지 않고 감탄을 하는 이들의 수양된 몸가짐 역시 우리가 배울 점이다. 흐흐.

버지니아 주로 들어서면서 애팔래치아 산맥 좌우에 동굴들이 있어 여기에 들른다.

이곳에선 그나마 유명한 동굴이라고 소문난 쉐난도 동굴(Shenandoah Caverns)과 룰레이 동굴(Luray Caverns)에 들려 본다.

이들 동굴은 아이들과 함께 구경하기 좋은 석회 동굴들인데, 크게 볼 것은 없다.

아마도 텍사스에 있을 때, 산 안토니오(San Antonio) 근처에 있는 세계 최대의 동굴이라는 내쳐럴 캐번(Natural Cavern)이 생각나서일지도 모른다.

이 동굴에 비하면 쉐난도 동굴이나 룰레이 동굴은 그저 평범할 뿐이었다.

이러한 동굴 구경을 하고, 모르간타운으로 향했는데, 모르간타운에서는 나와 같은 학과에 한 학기 먼저 와 있던 목○○ 씨가 집을 구해주어 바로 들어갈 수 있었다.

목○○ 씨는 나보다 나이가 한 살 어린데, 영어도 잘하고, 우리말도 잘하고, 공부도 잘하고, 서글서글하고 남을 도우려는 마음이 가득한 친구이다.

특히 통계학 등 연구방법론에서는 타의 추종을 불허할 만큼 두각을 나타내는 친구여서, 생활에서나 학업에서나 이 친구의 도움을 많이 받았다.

이 친구가 우리가 이곳에 오기 전에 집을 구해 놓음으로써 모르간타운에 도착하는 즉시 어렵지 않게 이사를 할 수 있었다.

자동차 여행

차 사고

하루는 이😊😊 씨가 밤늦게 찾아왔다.

술을 마시다보니 술이 떨어졌다.

당시에 난 술 취한 적이 거의 없다. 아무리 많이 마셔도 정신은 항상 끄떡없었다.

술이 떨어져 술을 사려고 이😊😊 씨와 함께 차를 타고 마트로 갔다.

술을 사 가지고 집으로 오는 길은 내리막길이었다.

왼쪽 길로 좌회전을 하면 우리 집인데, 차가 속도가 붙어서 잔디밭 위로 올라가는 거 아닌가!

얼른 핸들을 왼쪽으로 꺾었더니 차가 휙 돌아 길 건너편 폴(pole) 대를 들이받은 거였다.

만약 저쪽에서 차가 왔더라면 정말 큰 사고가 날 뻔했는데, 그러지 않은 것이 천만다행이었다.

미국 생활 II: 일상

비록 자동차 앞부분 범퍼가 내려앉고, 난 머리를 창에 부딪치고 어디선가 피가 흘러 내렸다. 조수석에 앉은 이☺☺ 씨는 다행히 다치지 않았다.

이건 음주운전은 아니다. 이 날 나는 술을 거의 마시지 않았다.

그렇지만 사고는 났다.

생각해 보건대, 사고 원인은 운전미숙이었지만, 이 이후부터 술을 한 잔만 했어도 절대 운전을 하지 않는다.

이☺☺ 씨는 그냥 돌려보내고 집에 와 자리에 누웠다. 주내는 방에서 잠들어 있었는데, 괜히 깨우면 걱정할 거 같아 아무 소리 없이 누워 잔 것이다.

다음 날 아침 주내는 깨어나 무척 놀랐다. 피 묻은 내 얼굴을 보니 안 놀랄 수 있겠는가!

밤사이에 이런 일이 있다니!

지금도 당시 생각을 하면 쥐구멍이라도 찾고 싶은 심정이다.

그렇지만, 일은 벌어졌고, 주내가 어제 밤부터 놀랄 걸 그래도 6~7시간은 늦추어준 셈 아닌가.

어찌되었든 그 좋은 차는 앞 범퍼가 약간 내려앉았다. 주내뿐만 아니라 차에게도 정말 미안한 일이다.

그렇지만 워낙 튼튼하게 만든 차인지라 시동도 잘 걸리고 운행에는 전혀 지장이 없었다.

차 사고

폐차

이 차는 웨스트버지니아로 이사할 때에도 일주일 동안 끄떡없이 미국 대륙을 누비었다.

참 고마운 차이다.

그렇지만 만나면 헤어진다고, 이 좋은 차와도 헤어질 시간이 왔다.

모르간타운에서 하루는 몰에 갔다가 집으로 올 때였다.

몰(mall: 쇼핑센터)에서 내려오는 길은 내리막길이어서 속도가 붙었는데, 오른쪽 길이 보이기에 우회전을 하려다 그만 사고가 난 것이다.

갑자기 우회전을 하려 하니 오른쪽 벼랑에 부딪칠 거 같아 다시 왼쪽으로 핸들을 급히 틀었더니만, 갈림길의 툭 튀어나온 펜스 부분을 들이박은 것이다.

다친 데는 없으나, 차 앞부분이 완전히 내려앉았다.

잠시 후 교통사고 처리를 하려고 순경차가 왔는데, 운전자의 안전부터 챙긴다.

"어디 다치진 않았나요?"

"예."

그런데 또 다른 경찰차가 한 대 오더니 순경끼리 싸우듯이 뭐라 뭐라 한다.

하나는 웨스트버지니아 주 경찰이고 하나는 모르간타운 시 경찰이다.

몰에서 내려오는 큰길은 주 소유의 재산이므로 주 관할 도로이고, 내가 사고를 낸 지점은 주 도로에서 시 도로로 들어가는 갈림길에 걸쳐 있는 것이어서 경찰끼리 관할 다툼을 하는 거다.

미국은 자치경찰제라서 자기 관할인지 아닌지부터 따진다. 교통사고 난 도로가 시 소유면 시 경찰이, 주 소유면 주 경찰이 담당한다.

둘이 다투다가 결국 모르간타운 시 경찰이 사건을 담당하기로 합의한 듯하다.

시 경찰로부터 운전 미숙으로 딱지를 끊고, 자동차는 전혀 운행이 불가하므로 폐차장에 전화하여 끌고 가라고 한 후, 경찰차에 태워 집까지 바래다 준다.

약 일주일 후, 어느 폐차장에서 차를 끌고 갔는지를 알아보고 폐차 처리를 하러 갔다.

자동차를 폐차하면 폐차장에서는 쓸모 있는 부품들을 추려내고 그 값을 쳐서 부품비를 준다. 많이 주는 건 아니고 견인비(towing fee)를 빼고 보통 70~100불 정도 준다고 한다.

그런데 폐차장에서 하는 말이 오히려 100달러인가를 내야 폐차 처

폐차

리를 해주겠다는 거다.

이유는 자기 폐차장에 일주일 동안 세워 놓았기 때문에 하루 주차료 25달러씩 일주일 분 175달러에서 나에게 줄 부품비 70달러를 빼고 105달러를 내야 하는 데, 5달러 깎아줄 테니 100달러를 내라는 거다.

참, 이런 도둑놈들을 봤나?

모르간타운 교외 한적한 곳에 있는 폐차장인데 주차료를 내라니!

그냥 학교로 돌아와 대학원 석사과정에 다니는 미국 청년 브라이언과 이야기 끝에 폐차비에 관한 이야기를 했더니, 이 친구 선뜻 나서서는,

"내가 해결해 줄 게."

하면서 폐차장으로 전화를 건다.

그리곤 폐차장 이야기를 듣더니, "알았다."면서 이번에는 시 경찰서로 전화를 한다.

"일주일 전 ooo에서 난 교통사고 담당 순경 좀 바꿔 줘요."

내 사고를 담당한 순경이 전화를 받는다.

"전화 바꿨습니다. 무얼 도와드릴까요?"

"'이러이러하고 저러저러하다'며 폐차장에서 주차비를 달라는데, 이게 말이 되나요?"

"글쎄요, 그걸 내가 어떡하라고 나한테 전화해요?"

"내가 알아본 바에 의하면, 모르간타운 시내에도 폐차장이 있는데 왜 모르간타운 시 밖에 있는 폐차장에 연락을 했나요? 혹시 그 폐차장에 무엇인가 혜택을 주려고 그런 거 아닌가요?"

이 순경 졸지에 교외 폐차장과 무슨 커넥션이 있는 거처럼 되어 버

렸다. 답변하는데 당황한 기색이 눈에 보이는 듯하다.

"아니, 그런 건 아니구요. 절대 아닙니다."

"아니 시내 가까운 폐차장이 있는 데도 불구하고 교외 폐차장으로 차를 끌고 가게 하시지 않았습니까? 시내 폐차장에 연락해봤더니, 차만 가져다주면 자기들이 폐차에 따른 부품비도 주겠답니다. 그러니 당신이 연락한 교외 폐차장에 전화해서 시내에 있는 폐차장으로 차를 옮겨 놓으라고 하세요. 이건 당신이 잘못한 거니 책임지세요."

그리고는 전화를 끊는다.

결과는?

교외 폐차장에서 "주차비는 안 받고, 폐차에 따른 부품 보상비로 70달러를 주고 폐차 처분해 주겠다."는 전화가 왔다.

아마도 순경이 폐차장으로 전화하여,

"아이구, 폐차장에서 무슨 주차비를 그렇게 많이 달라고 하냐? 폐차 처리하라고 너에게 일거리 주었다가 내가 일처리 잘못했다고 민원이 들어올 참이다. 내가 너 때문에 짤리게 생겼다. 당장 시내 폐차장으로 차를 끌어다 놓든지, 아니면 주차비 같은 거 달라고 하지 말고 제대로 부품비 주고 끝내라!"

라고 협박을 한 모양이다.

그래서 70달러를 받고 폐차 처리를 했다. 브라이언이라는 젊은이 덕분에! 고맙다. 브라이언!

브라이언은 성격이 매우 활달하고 똑똑한 친구인데, 정치를 하겠다고 대학원 석사 과정에 들어온 청년으로 재학 중에 시의원에 출마하여 선거운동을 하던 덩치 큰 친구이다.

폐차

아마 지금쯤은 시의원이 아니라 연방 하원의원이나 상원의원쯤 되지 않았을까? 아님 적어도 모르간타운 시장 정도는 되었을 것이라 생각한다.

이건 좀 주제에서 벗어난 이야기지만, 우리나라 대학이나 대학원 정치학과에서 졸업을 하면 취업 자리가 없다.

어찌 보면 우리나라에서도 지방자치가 시작된 지 꽤 되었는데, 이 미국 청년처럼 적극적으로 대학 졸업 후, 기초의원이나 광역의원 등 정치 일선에 뛰어들면 좋을 것이라는 생각이 든다.

우리나라 기초의원이나 광역의원들을 보면 자질 미만인 사람들이 너무 많다. 대부분 사업을 하는 사람들로 자기 사업을 보호하거나 이권을 따내기 위해 출마한 사람들이다.

연령대로 보면 나이가 지긋한 분들이 많다. 20대 젊은이들은 거의 찾아볼 수 없다.

대학에서 정치학을 배웠으면 써먹어야 할 것 아닌가?

참신한 젊은이들이 기초의원부터 시작하여 차근차근 정치 경험을 쌓아 광역의원도 되고, 국회의원도 되고, 장관도 되고, 대통령도 되어야 하지 않을까?

그리고 그래야 정치학과가 살아나지 않겠는가?

어찌되었든 이 차는 내게 와서 고생만 하다가 나를 떠났다.

북으로는 옐로우스톤으로, 남으로는 갤베스톤으로, 그리고 텍사스에서 웨스트 버지니아까지 대륙을 횡단하고, 거기서 뉴욕까지 갔다 오게 해 주었고, 모르간타운에서 메릴랜드, 워싱톤 D.C.까지 몇 번을 왕복해 준 정말 고마웠던 차였는데, 내 실수로 그만 이렇게 그 생을 마쳤다.

낚시

① 나는 식성이 육식보다는 채식을 좋아한다.

고기를 전혀 안 먹는 건 아니지만, 쇠고기, 닭고기, 돼지고기보다는 물고기를 더 좋아하는 편이다.

1979년 처음 부산산업대학에 부임했을 때 해운대 중동 와우산 위에 지어 놓은 13평짜리 AID 아파트에 살 때였다.

와우산 언덕 위에 있는 집이어서 집 밖으로 나가 바다 쪽을 내려다보면 청사포가 보인다.

이때에는 지금처럼 바닷가 쪽 달맞이길 일대가 전혀 개발이 안 되어 있을 때였다. 허긴 지금 센텀의 중심부라 할 수 있는 신세계 백화점 등이 있는 자리는 수영 비행장과 컨테이너 야적장이 있었고, 광안리 바닷가에는 빌딩은커녕 판잣집들이 즐비하게 있었고, 모래사장 쪽에는 잠녀(해녀)5)가 해삼 멍게 등을 잡아다가 다라이에 넣고 팔던 때였다.

하루는 입사 동기인 무역학과 오〇〇 교수와 행정학과 김UU 교수가 우리 집엘 놀러왔다. 낚싯대를 들고!

셋이서 언덕을 내려가 청사포 부두에서 낚싯대를 드리웠는데, 낚싯대를 넣자마자 15센티미터쯤 되는 작은 물고기가 덥석 무는 게 아닌가!

끌어내보니, 나는 잘 모르는데, 오〇〇 교수 말씀이 복어 새끼라면서 낚시에 복어가 걸리면 재수 없다고 한다. 아마도 먹지 못하기 때문일 것이다.

추자도 출신인 오〇〇 교수는 낚시를 잘한다. 낚싯대를 넣는 족족 물고기가 잡혀 나온다.

나는 처음 딱 복어 새끼가 인사를 하더니만 전혀 무소식이다.

자리가 안 좋은가?

오〇〇 교수에게 자리를 바꾸자고 하니 흔쾌히 자리를 바꾸어 준다. 그리고는 또 낚싯대를 넣자마자 잡아 올리는 거다. 나는 오 교수가 앉아 있던 자리에서 낚싯대를 드리웠으나, 전혀 소식이 없다. 지루하기만 했다.

이때 난 알았다.

아하! 낚시는 나와 인연이 없구나!

물고기 먹는 건 좋아하는데, 낚는 건 전혀 소질이 없다. 소질이 아니라 물고기 잡는 것엔 인연이 없는 거다. 사람들은 이를 어복이 없다고 표현한다.

2 텍사스에 덴튼에 처음 왔을 때의 일이다.

---

5) 해녀는 일본사람들이 쓰는 한자말이고, 잠녀가 예부터 쓰던 우리말이다.

한국 유학생들이 텍사스와 오클라호마 주 경계에 있는 텍소마 호수 (Lake Texoma)에 밤낚시를 가자고 하여 따라 나섰다.

이들 얘기로는 매년 이때쯤 가면 고기가 잘 잡혀 아이스박스에 한가득 잡아와 냉장고에 넣어 놓고 가을 학기 내내 먹는다는 거다.

나는 낚시를 잘 할 줄 모르지만, 구경하는 건 좋아하니 얼씨구 좋다 따라 나섰다.

텍소마 호수엔 댐이 있는데, 댐 밑으로 물은 흐르지만 가물어서 그런지 물이 별로 없고 고기도 안 잡힌다.

저쪽 댐 밑에만 물이 조금 많이 있어 아마도 저 댐 밑으로 낚싯줄을 던져야 하는 모양인데, 낚싯줄이 그렇게 길지 않으니 던질 수도 없다.

밤을 꼬박 새웠으나 한 마리도 못 잡았다.

긴 낚싯줄을 가지고 있던 백인이 댐 밑에서 잡은 1미터 정도 되는 잉어 한 마리를 재수 없다고 풀밭에 던져 버리는 걸 주워가지고 돌아오는 수밖에 없었다.

백인들은 왜 잡은 잉어를 버리는지 알 수가 없다. 아마 잉어 요리법을 모르니까 그러는 모양이다. 사실 큰 잉어가 구워봐야 비린내만 나고, 크니까 좀 징그럽기도 하고 그래서일 것이다.

이 잉어는 그날 낚시 간 친구들과 함께 우리 집에서 고아 먹었다.

3 그 뒤에도 총각 유학생들이 낚시를 간다고 해서 따라간 적이 있다.

낚시

텍소마는 좀 멀리 떨어져 있는 호수지만, 덴튼 주위에는 작은 호수들이 많이 있다.

그런데 결론을 말하자면 그 잘 잡던 고기를 몇 마리 잡지도 못 했다. 내가 따라가기만 하면 잘하던 낚시꾼들도 고기를 못 잡는다.

이것이 징크스인가?

그 다음부터는 따라가지 않는다.

사실 따라가 바람도 쏘이고 구경하고 싶은 마음은 굴뚝같지만, 내 근처에는 고기가 얼씬하지 않으니…….

내가 안 따라가면, 이 친구들, 정말 아이스박스에 배스(bass)며, 캣피시(catfish)며 한가득 잡아가지고 우리 집으로 가져 온다.

배스는 요리하면 조기 맛이 나는 맛있는 물고기이고, 캣피시는 고양이처럼 볼에 수염이 났다고 해서 붙여진 이름인데 메기를 가리키는 말이다.

모두 총각들이니 고기는 잡았지만 요리해먹는 것은 서툴기 때문일 것이다. 그러면 주내가 맛있게 찜도 해주고 탕도 끓여 준다.

4 이런 징크스는 한국에서도 이어졌다.

79학번 제자 중에 크게 사업을 하는 홍○○ 사장이 있는데, 이 친구는 낚시광이다. 바다낚시에서 잡은 큰 도미를 품에 안고 찍은 사진을 전화기에 저장해가지고 보여주기도 한다.

홍 사장이 나에게 추자도에 낚시하러 가는데 모시고 가겠다고 한다. 제주도 가는 비행기 값이며, 여기서 추자도 가는 배 값이며, 추자도에서

2박3일 머무는 동안의 숙박비와 식비 등 모든 것을 홍 사장이 부담하면서 나를 모시겠다고 하여 처음에는 완곡히 거절했다.

제주도야 수없이 많이 가봤지만, 추자도는 안 가본 곳이라 추자도 구경도 할 겸 가 보고 싶긴 했으나,

"내가 가면 고기가 다 달아나."

"에이, 선생님도. 그럴 리가 있나요?"

"아니 정말이야. 잘 잡는 낚시꾼도 내가 옆에 있으면 못 잡아."

그러면서 텍사스에서의 낚시 경험을 이야기해 주었다.

"그건 그 낚시꾼 실력이 없어서 그런 거야요. 제가 한 번 보여드릴 테니 같이 가시지요."

그래도 홍 사장, 고개를 흔들며 믿지 않는다.

그래서 홍 사장 따라 추자도엘 가서 낚시를 하게 되었다.

결과는?

홍 사장 말과는 달리 한 마리도 못 잡았다. 그러나 추자도 구경은 잘 했다.

그리고 홍 사장은 내말이 진리임을 믿게 되었다.

그 이후에도 홍 사장은 남해안 바닷가 물 좋은 데로 종종 낚시를 다니면서 모시겠다고 했으나, "내가 가면 고기가 안 잡히니 안 가겠다." 고 하면, 이전처럼 간곡히 같이 가자고 조르지는 않는다.

낚시

한국 음식: 김치 중독

1 한국의 음식은 어디에서나 환영을 받는다.

세계적으로 공통된 입맛을 개척해 낸 것이 한국인의 요리법인 모양이다.

특히 불고기나 잡채, 군만두, 생선전 같은 것은 싫어하는 사람을 본적이 없다.

음식이란 익숙해져야 맛을 아는 법인데, 그 가운데에서도 불고기만큼은 처음 먹어본 사람도 다 맛있어 한다.

역시 세계 최고의 음식이라 아니할 수 없다.

미국에서 여행을 할 때, 전기밥솥에는 미리 밥을 지어 준비하고, 아이스박스(ice box)엔 고기를 양념에 재서 김치와 함께 담고, 가게에서 즉석석탄(charcoal)을 사서 들면, 준비는 완료된다.

고속도로 주변에 고기 구워 먹으라고 석쇠와 아궁이가 설치되어 있기 때문에, 여기에서 고기 구워 김치하고 밥하고 먹으면 그야말로 꿀맛이다.

미국 사람들이 그렇게 싫어하는 파와 마늘을 짓찧어 넣고 양념을 한 고기를 구우면, 멀리 있던 미국 사람들도 슬금슬금 다가와서는 입맛을 다시며, "군침이 돈다."고 말한다.

한국의 음식 인심이 그런 게 아니어서 먹어보라고 조금 덜어 주면, 원더풀을 연발하면서 좀 더 주지 않을까 하여 침을 흘리기 일쑤다.

아마도 불고기만큼 환영받는 음식도 없을 것이다.

[2] 김치는 먹어보지 않은 사람은 잘 먹지 못하고 처음 먹을 때는 매워서 헉헉거리며 땀깨나 쏟고 혀를 홰홰 내두르는데, 서너 번만 먹게 되면 인이 박히는 모양이다.

완전히 김치 애호가로 변신한다.

우리도 미국에서 김치를 좋아하는 미국사람들을 여럿 경험하였는데 맛에 익숙해 진 그들은 그야말로 김치 중독자요, 김치 예찬론자 들이다.

세계에서 두 번째 큰 여자대학--세계에서 제일 큰 여자대학은 이화 여대라 한다--이라는 텍사스여자대학 식품과학과의 한 미국인 교수는 매 학기마다 한국인 유학생에게 김치를 담아달라고 하여 강의 시간에 들고 와서는, 이것이 바로 식품과학의 분야에서 그렇게도 꿈에 그리던 완전식품이라며 이 세상에 이렇게 맛있는 음식은 없다고 칭찬을 있는 대로 하면서 학생들에게 한 명씩 나와서 맛을 보라고 한단다.

학생들의 표정은 처음에는 그렇게 진지할 수 없지만, 기대를 가지고 입에 넣고 나면, 캑캑거리질 않나, 땀을 비 오듯 흘리질 않나, 여하튼 고개를 절레절레 흔들게 된다.

한국 음식: 김치 중독

그럴 때마다 교수는 아까운 것 괜히 먹였다고 아쉬운 표정을 짓는다는 것이다.

그렇지만 이런 학생들 가운데서도 몇 번 시도하여 완전히 김치 중독자가 되는 학생들이 전혀 없지는 않은 모양이다.

③ 하루는 우리 아이가 이빨이 썩어서 치과에 다니면서 며칠 동안 치료를 받은 적이 있었다.

다음 날 치과에 갈 때, 우리 아이 잘 봐달라고 군만두를 만들어 가지고 가서 접수 보는 아가씨하고 의사에게 주었더니 맛있게 먹는다.

맛있을 수밖에 없는 것이 쇠고기와 부추, 그리고 숙주나물을 다져서 두부를 으깨어 속을 채우고 튀겨내었으니 바삭바삭한 것을 좋아하는 그들의 기호에 잘 맞는 까닭이다.

그런데, 의사가 우리를 보더니, 혹시 한국사람 아니냐고 묻는 것이었다.

그렇다고 했더니, 음식 중에는 한국 김치가 최고라고 한다.

무슨 말인지 제꺽 알아듣고 그 다음날 갈 때는 군만두와 함께 김치를 한 통 들고 갔다.

그러자 안에서 치료를 하고 있던 의사가 아주 반가운 표정을 지으면서 나와서는 군만두는 거들떠보지도 않고 김치 병을 열고는 대뜸 손가락으로 김치를 하나 꺼내어 입에 넣는다.

그리고는 입맛을 다시면서 양치질을 하고는 치료를 계속하러 들어가는 것이었다.

우리 아이 치료할 때가 되니까, 치료하면서도 계속 김치 이야기다.

이야기인즉 자기가 김치를 제일 좋아하기 때문에 김치가 먹고 싶어 한국인이 가르쳐준 대로 김치를 담가 봐도 제 맛이 안 난다는 것이다.

그러면서, 하는 말이 특히 젓갈 넣은 김치를 좋아한다고 한다.

그래서 젓갈에는 멸치젓, 새우젓, 황새기젓 따위가 있는데 어떤 젓갈을 좋아하냐고 물어보니까 그런 것은 잘 모르는데 여하튼 젓갈 넣은 걸 좋아한단다.

김치 종류는 배추김치, 열무김치, 파김치, 물김치 등등 굉장히 많은데 먹고 싶은 것으로 젓갈 넣어 담아 주겠다고 하니까 아무거나 다 좋단다.

그 다음부터 가끔 여러 가지 종류의 김치를 조금씩 담가 갖다 주었는데, 우리가 갈 때마다 치료하다 말고 우선 뛰어 나와 김치를 가져왔는지부터 살피는 것이었다.

김치 병을 싼 봉투를 보면, 하던 치료는 뒷전이고 김치 맛부터 본다.

김치가 없으면 무척 서운해 하는 눈치다.

이렇게 김치 좋아하는 사람은 내 정말 처음 봤다.

여하튼 김치 덕분에 우리 아이는 치료를 잘 받았다.

④ 우리가 사는 도시의 몰(백화점 비슷한 가게) 근처에 중국집이 있는데 이 집에 한국여자가 부엌에서 일을 한다.

이 중국집의 차림표에는 김치가 버젓이 들어 있다.

한국 음식: 김치 중독

물론 이 김치는 한국 아주머니가 담근 것이다.

어느 날 모처럼 식구들과 외식을 하러 갔는데, 어떤 백인 한 사람이 김치를 한 접시를 시키는 것이었다.

어떻게 먹나 보았더니, 김치 한 점 먹고 물 조금 마시고, 김치 한 점 먹고 물 조금 마시곤 한다.

매워하면서도 참 맛있게 먹는다.

허긴, 물과 김치는 궁합이 잘 맞는다.

한국인 같으면 공기 밥 하나 달라고 하여 밥하고 먹을 텐데, 그런 건 모르는 모양이다.

오죽 김치가 먹고 싶으면 그랬을까라는 생각이 든다.

하긴 조그마한 그로서리(grocery)에서도 김치를 병에 넣어 판매하는데 허연 것이 그냥 줘도 못 먹을 것 같이 생겼다.

그런데도 그런 김치가 팔리니까 진열되어 있지 않겠는가?

김치 중독자들은 김치가 먹고 싶으면 그런 거라도 사다 먹지 않을 수 없기 때문이다.

그러니 한국인이 담근 김치야말로 얼마나 맛있겠는가?

김치를 싫어한다는 것은 이제 옛말이 되었다.

미국인 김치 애호가들에게 판매하는 김치는 거의 대부분이 일본에서 일인들에 의해 만들어져 공수되는 것이라 한다.

일본 사람들은 김치를 먹지 않는 데도 말이다(지금은 일본에서도 김치 중독자가 많이 늘어났다고는 한다).

역시 상혼에는 일본 사람을 따라가지 못하는구나 하는 것을 느끼고는 괜히 아까운 보물을 빼앗긴 기분이 든다.

저렇게 형편없는 김치를 만들어 괜히 김치의 성가를 떨어뜨리는 것 같아 억울한 생각도 든다.

한국인의 손으로 만든 맛있는 김치를 만들어 수출함으로써 김치의 명성을 드높이고 김치 중독자를 늘려야 하지 않을까?

* 4324년 8월 30일 씀.

한국 음식: 김치 중독

쿵푸
챔피언

우리 아이들은 한국에서 태권도를 6개월 정도 하다가 갔는데, 텍사스에서는 운동(運動)을 못시키고, 웨스트버지니아에서는 쿵푸 도장(道場)이 있어 쿵푸를 3년 동안 빠지지 아니하고 보냈다.

쿵푸 도장에 보내게 된 것은 내가 세 들어 살고 있는 집의 사위에 셰퍼드라고 하는 화가가 있었는데 이 친구가 쿵푸에 나가고 있었다.

그러면서 쿵푸 이야길 하기에 돈이 없어서 못 보내겠다고 하자, 공짜로 배울 수 있다고 하여 아이들을 보낸 것이었다.

그런데 한 달쯤 되어서 아이들을 데려다 주는데 도장 사범이 25불씩 50불의 청구서(請求書)를 내미는 것이었다.

사범은 니나(Nina)라고 하는 이태리 계(系) 여자이고, 그녀의 스승은 역시 이태리 계의 슈나이더(Schneider)였는데 이 둘은 부부였다.

깜짝 놀라 "셰퍼드가 공짜라고 해서 왔다."니까 "돈이 없느냐?"고 묻는다.

"그렇다."고 했더니, "아이들에게 쿵푸를 배워주고 싶으냐?"고 다시 묻기에 또 "그렇다."고 했더니, "그럼 우리 바터제로 하자."고 제의하는 것이었다.

그래서 우리 부부가 도장 청소를 매일 해주고 대신에 우리 아이들은 무술을 배우기로 약속하고는 그 다음 날부터 30분 정도 아이들을 일찍 데리고 가서 도장 청소를 해 주었다.

한 달 정도 지났는데 니나가 청소보다도 회계(會計)를 보아 달라고 부탁하는 것이었다.

그러마하고 그 다음부터는 그 도장의 돈 관리를 해주었다.

돈 관리란 별 것 아니고, 도장비를 내면 받아 장부(帳簿)에 정리(整理)하고 거스름돈을 내주고 하는 간단한 일이었다.

덕분에 우리 아이들은 3년 동안 쿵푸를 배웠고, 니나는 우리에게 매우 고마워하였다.

학위를 마치고 한국에 오기 몇 달 전, 찰스톤(Charleston)에서 미국 동부 지역의 각 주에서 선수들이 나와 무술 경연대회(U.S. Martial Art Competition)를 연다는데, 니나 이야기가 우리 애들을 출전(出戰)시키겠다는 거였다.

출전하는 것은 좋은데 참가비가 각각 50불인가 들기 때문에 주저주저하였더니, 경비는 자기가 부담하겠으니 걱정하지 말고 허락만 해 달라는 것이었다.

그래서 고맙다고 했더니 우리 애들을 위해 새파란 옷감으로 중국 애들 입는 옷을 맞추어 주었고, 경연대회에 참가하게 되었다.

쿵푸 챔피언

주내와 난 모르간타운 도서관에서 캠코더를 빌려가지고, BM이 BN이 친구들을 데리고 찰스톤에 갔다.

이 대회에 나가보니, 웨스트버지니아뿐만 아니라 이웃의 각 주에서 적어도 선수만 천여 명 가까이 참석하였는데, 보니까 태권도를 위시하여, 가라데, 이신류, 쇼도간, 쿵후, 태극권 등 여러 종류의 수많은 도장에서 선수들이 출전하여 나이별로 조(組)를 나누어 시합을 하게 되어 있었다.

시합의 종류는 대련(對鍊: fighting)과 형(型: form) 및 무기(武器: arms) 분야로 삼등분하여 진행되었는데 작은 놈은 7세에서 8세 그룹의 형(型)에서, 큰 놈은 9세에서 10세 그룹의 형(型)에서 각각 우승(優勝)하여 챔피언십을 따 그 도장의 명예(名譽)를 한껏 드높여 줌으로써 니나의 은혜(恩惠)에 보답한 셈이 되었다.

* 4324년 8월 30일 씀.

영웅

웨스트버지니아 모르간타운에서의 생활은 학교에서 TA를 했기 때문에 학비 걱정도 없고, 비록 얼마 안 되는 돈이지만, 생활에 큰 어려움은 없었다.

모르간타운에서 살던 첫 번째 집에서는 주내가 유학생인 장○○ 씨 아들인 JY를 봐 주는 베이비시터 일을 했다. JY 엄마는 간호사로 일을 해야 했기에 애를 돌볼 사람이 필요했던 거다.

얼마 후, 학교 아파트인 컬리지 파크(collage park)에 있는 투 베드룸으로 집을 옮김으로써 집세도 많이 절약되었다.

우리 아이들은 만 6살, 8살이었으므로 집 근처에 있는 초등학교(Central Elementary School) 유치원 과정과 2학년에 들어갔다.

이 초등학교는 한 학년에 한 학급만 있는 조그마한 학교였다.

이 초등학교에서는 텍사스에서와는 달리 선생님들도 아이들에게 관

심을 가져 주고 아이들 역시 그 동안 어느 정도 적응이 되었는지 공부
도 곧잘 하였다.

일 년이 지난 어느 날 학교에서 부모 동의가 필요한 일이 있다고
연락이 왔다.

가서 선생님을 만나 보니, 우리 아이들이 학업이 우수하고, 엊그제
지능검사를 해보니 아이큐도 매우 높아 영재교육(ESP)을 시키려 하는데
사인해달라는 거다.

큰 아이 아이큐는 154인가 되고, 작은 아이 역시 147인가 된단다.

미국의 초등학교는 유치원부터 시작하여 6학년까지 있는데, BM이는
3학년이고, BN이는 1학년이다.

초등학생은 자기가 속해 있는 학년의 교실에서 국어, 산수, 사회,
자연 , 미술, 음악 등을 배우는데, 잘하는 과목이 있으면 월반을 해서
공부를 한다.

BM이와 BN이도 산수 과목은 3학년, 1학년 교실이 아니라 4학년,
2학년 교실로 가 공부를 하고, 다른 과목은 다시 자기 학년 교실로 돌
아와 공부를 하고 있다는 건 그 전부터 알고 있었다(그러다가 얼마 후
엔 한 학년을 뛰어 넘은 게 아니라 두 학년을 뛰어 넘어 공부를 했다).

그런데 이번엔 영재교육을 시켜야 한다고 동의가 필요하다는 거다.

영재교육은 각 학교에서 영재들을 뽑아 일주일에 하루는 영재학교로
가 특수 교육을 받는 것이다.

곧, 영재들은 월, 화, 수, 목, 금 5일 동안 배우는 것을 하루는 따로
설치된 영재학교에 가고, 나머지 나흘 동안에 다른 아이들이 닷새 동안
배우는 것을 따라가는 시스템이다.

만약 부모가 동의해주지 않는다면, 선생 맘대로 영재학교에 보낼 수 없다.

우리 아이들 둘이 영재교육 대상이 된다니 기쁜 마음으로 사인을 해주었다.

이 학교에서는 BN이와 BM이 그리고 크리스티나라는 여학생 딱 세 명이 영재로 뽑혀 따로 영재교육을 받는다고 한다.

우리 아이들은 공부 잘하지, 영재교육 받지, 쿵푸 잘하지, 완전 미국 아이들의 영웅이 되어 행복한 나날을 보냈다.

미국 아이들은 엄청 순진하다.

학교 스쿨버스가 컬리지 파크에 우리 애들을 데리러 오면, 앉아 있던 애들이 모두 벌떡 일어나 환호를 하며, 자기 옆에 앉히려고 난리를 친다.

그러면, 버스 기사가

"조용히 해!"

라고 무시무시하게, 정말 무시무시하게, 야단을 친다. 버스 기사는 아이들의 안전을 책임져야 하는 까닭에 그러는 거다.

이런 아이들이 한국에 돌아와 둔재가 되었으니…….

이 이야기는 다음에 미룬다.

영웅

귀국하여: 회상

의지의 한국인

북텍사스 주립대학에서 같이 공부한 김□□ 씨는 마흔이 가까운 나이에 박사 과정에 입학하여 함께 공부한 사이이다.

김□□ 씨는 성격이 활달한데다가 목소리가 우렁차고 좋아 노래도 잘 부르고, 영어도 잘하고, 운동도 열심히 하는 분이었는데, 늦게 결혼하여 아이들을 늦게 나아서인지 아이들을 무척 귀여워하는 분이다.

아이들 이름은 SR와 SJ이인데, 이 녀석들이 떼를 쓰면 무슨 일이건 다 받아준다.

부인은 식당 일 등을 하여 생활비를 벌고, 김□□ 씨는 집에서 앉은뱅이책상을 하나 놓고 공부를 하는데, 하루는 책상 위에 읽고 있던 책과 논문 등을 놓아두고, 밖에 나와 체조를 하면서 몸을 풀고 방에 들어갔다는데, SR와 SJ이가 책상 위에 있는 노트와 책, 논문 등을 모두 가져다 부엌에 있는 물이 가득 찬 양동이에 집어넣었다고 한다.

그래도 아이들을 야단치지 않는다.

그 이유를 물어보니,

"그래도 아이들이 예쁜데, 뭘!"

하면서 웃는 거다.

이 양반 새벽이면 꼭 밖에 나와 몇 킬로미터를 조깅하며 몸을 단련하고, 크게 노래를 부른 다음, 집에 가서 아침을 먹고 공부를 하는 것이 일과이다.

이런 분이 어느 날 나에게 와서는 심각한 얼굴로,

"송 선생, 나 류키미어(leukemia)래."

"예? 류키미어라니요? 아니 난 데 없이 웬 백혈병?"

"아침에 뛰다가 허벅지를 보니 퍼렇게 멍이 든 것이 보여 병원에 갔더니 백혈병이라네."

"다른 병원에서도 그래요?"

"응. 다른 병원에도 갔었어. 백혈병이라는 데 어쩌누?"

매일 운동도 열심히 하고, 밥도 잘 먹는데, 이 무슨 청천벽력 같은 소리인가?

결국 김□□ 씨는 학업을 중단하고 달라스에 있는 ○○○○병원에 입원하여 암 투병을 시작하였다.

이 병원에는 당시 백혈병에 유명한 의사가 있었는데, 이 의사는 일주일에 로스앤젤레스와 시카고에 있는 병원과 달라스에 있는 병원을 한 번씩 왔다 갔다 하며 환자를 보는 의사라 한다.

백혈병에 관한 한 세계 최고의 의사인 셈이다.

입원한 지 얼마 후, 병원에 문병을 갔는데, 김□□ 씨는 머리도 다

의지의 한국인

빠지고 삐쩍 말라, 가슴인가 목에 튜브를 끼운 채 병상에 누워 있었다.

미국은 의료비가 엄청 비싼 나라이다.

김□□ 씨 치료비는 한 달 후에 청구되었는데, 도저히 치료비를 낼 만한 상황이 아니었다. 김□□ 씨 부인은 이 일 저 일 가리지 않고 일을 했지만 막대한 병원비를 전혀 감당할 수가 없었다.

당시 유학생들이 모여서 조금씩 손을 보태기로 하여 모금을 하였는데, 형편에 따라 10불, 20불, 50불, 100불 등을 내 몇 백 달러를 모아 전달했지만, 입원비엔 턱도 없는 것이었다.

내가 전공하는 것이 사회복지였으니, 병원엔 의료사회사업가가 있어 이런 경우 도움을 받을 수 있다는 걸 알고, 김□□ 씨 부인과 함께 의료사회사업가를 찾아갔다.

치료비를 다 낼 수 없는 형편을 설명하니, 월수입이 들어오는 통장을 가져 오라 하여 보고는,

"그렇다면 매달 얼마씩 낼 수 있겠는가?"

묻는다.

"매달 20달러씩은 낼 수 있겠네요."

"그러면 매달 20달러씩 내세요. 치료비는 반으로 깎아줄 수 있지만 그 이상은 안 됩니다."

그리하여 매달 20달러씩 내면서 6~7개월 입원하여 치료를 받았다.

미국에선 돈이 없는 사람들에겐 메디케어(Medicare), 메디케이드(Medicade)라는 사회보장제도가 있으나, 메디케어는 65세 이상의 미국 시민권을 가진 노인들을 대상으로 보건의료비 지불에 도움을 주는 제도이고, 메디케이드는 65세 미만의 저소득층과 장애인을 위한 것이지만

미국 시민권이 없는 김□□ 씨에게는 전혀 해당이 되지 않는다.

비록 외국인 학생이 등록을 하기 위해서는 사보험인 의료보험을 들어야 하지만, 들어 놓은 보험 역시 보장 한도가 얼마 되지 않는 것이어서 이런 막대한 치료비를 감당할 수가 없다.

그렇지만, 의료사회사업가와 약속한 대로 매달 20달러씩만 내면, 죽을 때까지 치료를 멈추지 않고 계속 해준다. 만약 그 약속을 지키지 못하면 그 다음부터는 치료를 해주지 않는다.

이 얼마나 고마운 일인가!

매달 20달러씩은 김□□ 씨 부인이 돈을 벌어 낼 수 있는 거라서 수개월 치료를 받았는데, 치료비는 계속 쌓여 퇴원할 때쯤에는 반액을 감해 주었어도 수만 달러에 달하는 어마어마한 비용이 남아 있었다.

이 약속은 치료를 받은 본인이 죽으면 병원에서 손실 처리를 하고 더 이상 내지 않아도 된다.

아마도 지금까지 그 병원에 20달러씩 내고 있을 것이다.

공공의료보험제도가 없이 사보험에 의존한 미국에선 민곤선(poverty line) 이하에 속하는 빈민들에겐 메디케이드가, 노인들에겐 메디케어라는 사회보장제도가 있으나, 빈곤선 위의 소득이 있는 사람들은 사보험에 의존해야 하는데 돈 많은 개인들은 별 문제가 없으나 빈곤선 바로 위 차상위계층에 속하는 사람들은 사보험도 들 수 없어 의료사각지대에 놓이게 된다.

그렇다면 이들은 어찌해야 하는가?

웬만한 병원에 다 의료사회사업가가 있으니, 이분들과 의논하여 김□□ 씨 경우처럼 매달 10달러든 20달러든 50달러든 약속한 대로 내면

의지의 한국인

된다. 이런 정보를 모르는 사람들은 그냥 병 걸려 죽는 수밖에 없다.

이렇게 매달 약속한 금액을 납부하여 병원에서 치료를 받게 되면, 환자는 병원에 대한 고마움을 느끼게 되고, 퇴원 후 큰 돈을 벌어 한꺼번에 갚기도 하고, 나아가 그 병원에 큰돈을 기부하기도 한다.

병원에선 돈 없는 환자를 이와 같이 치료해주고, 그 환자가 나중에 큰돈을 벌어 갚기 때문에, 아니면 갚는 것에 더해 기부금을 듬뿍 희사하는 경우도 있기 때문에--물론 죽으면 할 수 없지만--손해 볼 일이 크게 없다.

가만히 보면, 앞을 크게 내다보는 병원의 행정이 아닐 수 없다.

어찌되었든 김□□ 씨 면회를 갔다가 김□□ 씨를 치료하는 그 유명한 의사를 만나 인삼 이야기를 하면서 인삼을 먹여도 되는지를 물어 보았다.

"이 병이 현재까지는 불치병이라는데, 맞는가?"

"현재까지는 완치시킨다고 장담할 수 없으니 불치병이라 할 수 있다."

"한국에 인삼이라는 만병통치약이 있는데, 항암효과가 있다고 한다. 인삼을 먹여도 되겠는가?"

대체로 양의들은 한의들의 치료 행위를 싫어한다. 민간약도 마찬가지이다. 더군다나 병원에선!

그렇지만, 이 의사는

"나도 인삼에 대해 들어본 적이 있는데 정말 좋은 약재라고 생각한다. 먹여도 좋다."

역시 명의는 뭐가 달라도 다르다. 자신이 치료해도 완치시킬 자신이

귀국하여: 회상

없었던 건지, 아니면 인삼의 효능이 전 세계에 퍼져서 그런 건지, 물어 보자마자 흔쾌히 "오케이." 한다.

내가 미국에 올 때, 같은 과 김BB 교수가 가지고 가라고 선물로 준 6년근 인삼 한 상자를 SR 엄마에게 주었다.

지금 생각해도 참 잘한 일이다.

SR 엄마는 인삼을 끓여 매일 보온병에 넣어 가지고 와서 김□□ 씨에게 먹이며 극진히 간호를 했다.

그리하여 김□□ 씨는 입원한 지 6~7개월 지나서 건강해져 퇴원을 했다.

그렇지만 언제 재발할지 모르니 6개월에 한 번씩 병원에 와서 진단을 받으라고 한다.

그 이후, 나는 웨스트버지니아 대학으로 학교를 옮겼고, 가끔 김□□ 씨와 통화를 하여 건강 상태를 묻곤 했는데,

"송 선생, 전혀 팬찮어. 그때 병원에서 잘못 진단한 건 아닐까라는 생각이 들 정도야."

김□□ 씨는 건강이 완전 회복하였다고 한다. 물론 돈이 없으니 SR 엄마는 계속 일하고…….

나는 김□□ 씨가 나은 것이 유명한 의사의 치료에 SR 엄마의 희생, 유학생들의 온정, 그리고 무엇보다도 그때 준 인삼 덕분이라고 생각한다.

그리고는 세월이 흘러 나는 학위를 따서 귀국하여 복직을 하고 그리고도 또 세월이 흘러 몇 년이 흘러갔다.

하루는 이△△ 교수(이 분은 내가 귀국할 때 박사학위를 받아 귀국

의지의 한국인

하여 같은 학교인 경성대학교 물리학과 교수로 취업하여 얼마나 반가웠는지 모른다)와 이야기를 하다 북텍사스주립대학 때 유학생들 소식을 듣게 되어 김□□ 씨 전화번호를 물어 국제전화를 하게 되었다.

건강 상태와 안부를 물어보니 대학원에 복학하여 박사 과정을 다시 밟고 있다고 한다.

그러더니 다시 몇 년이 흘러 하루는 김□□ 씨로부터 국제전화가 왔다.

"건강은 괜찮으시지요? SR, SJ이도 잘 있고, SR 엄마도 안녕하시지요?"

그러자 카랑카랑한 목소리로,

"건강은 전혀 괜찮아. 우리 애들도 SR 엄마도 잘 있어요. 근데, 송 선생, 나 박사학위 땄어!"

"아이구, 축하해요!"

완전 인간 승리이다! 그 몸으로 고학하며 공부를 해서 박사학위를 받았으니!

"그런데, 한국 대학에 자리가 없을까?"

당시 우리나라에선 정치학과 교수를 뽑는 곳이 거의 없었다. 설령 뽑는다 해도 김□□ 씨 나이가 이미 50이 훌쩍 넘었으니 대학에 취업하기는 쉽지 않아 보였다.

이런 한국 사정을 설명하고는 미국에서 취업 자리를 찾아보라고 권했다.

이후 소식이 끊겼으나, 이△△ 교수를 통해 들리는 소식은 달라스 어딘가에서 잘 살고 있다는 소식이다. 의지가 강하고 쾌활하고 긍정적이고 적극적인 분이니 잘 살고 있을 것이다.

62세의 중국인 학생

북텍사스주립대학 대학원 정치학과에서 공부하던 첫 학기에 같은 과목을 듣는 중국인이 한 사람 있었는데, 나이가 한 마흔 살 정도 되어 보였다.

말도 느릿느릿하게 하고 퍽이나 점잖은 양반인데, 친하게 되어서 나이를 물어 보고는 깜짝 놀란 적이 있다.

나이가 62세란다. 정말이냐고 물으니까 그렇단다.

딸이 둘 있는데 둘 다 미국 대학에서 공부하고 있고, 부인만 대만에서 생활하고 있다 한다.

전직(前職) 공무원이었다는 이 할아버지는 학위를 따면, 대만에 돌아가 대학교수가 되어 죽을 때까지 가르치는 것이 소원(所願)이라 한다(대만에서는 교수직이 종신직이라 한다).

대만에서 부인은 매달 나오는 연금(年金)으로 생활하고 있고, 이 양반은 학교에서 접시 닦기 등 아르바이트를 하며 대학원을 다니고 있었다.

강의가 끝나기가 무섭게 자전거를 타고 일터로 달려가고 공부는 밤에 한단다.

그렇게 하여 번 돈으로 자기 학비 내고, 딸들에게도 조금씩 보내 준다는데 도저히 믿을 수가 없었다.

어떻게 그럴 수 있는가 의아(疑訝)해 했더니, 집은 허름한 것을 400달러에 얻어 가지고 중국인들 4명이서 사는데 각자 100달러씩 낸다는 것이었다.

그리고 먹는 데 드는 돈은 50달러 정도면 충분하다는 것이다.

도저히 이해가 가지 않았는데, 하루는 이 양반이 나를 점심에 초대(招待)하여 갔더니 큰 냉장고에서 만두를 두 개 꺼내 오븐에다 넣어 데워서 하나를 주는 것이었다.

만두 하나가 내 손바닥만큼 큰데, 맛을 보니 조금 짜지만 그냥 먹을 만했다.

이야기인즉슨, 매일 밥해 먹을 시간이 아까워, 노는 날인 일요일 날 손바닥만 한 큼직한 만두를 21개 만들어 놓고서 매 끼니마다 하나씩 먹는다는 것이었다.

그러니까 만두 만들어 먹는 데 한 달에 50달러밖에 안 드는 거였다.

나이가 62세 된 노인이 일하면서 공부하랴, 자식들한테 학비 보조하랴 ,이건 완전히 슈퍼맨이었다.

그러면서도 늘 웃고, 낙천적이어서 느긋한 중국인의 기질을 엿볼 수 있었다.

존경하는 마음이 절로 우러나 입이 딱 벌어지지 않을 수 없었다.

지금은 틀림없이 그 소원이 이루어졌을 것이다.

* 4324년 8월 30일 씀.

62세의 중국인 학생

옛 친구를 만나

이 학교 다닐 때 사귄 역시 또 다른 중국인 학생이 있었다.

이름은 왕OO이고 나보다 세 살 많은 학생이었는데, 이 양반 역시 매우 점잖고 성실한 분이었다.

이 친구의 부인은 대만에서 영화감독으로 일하고 있었고, 혼자 유학을 와 공부하고 있었다.

대만에서 일하던 이 분 부인이 텍사스를 방문하였을 때, 부부동반하여 우리 집에 온 적이 있었다.

왕OO 씨하고는 매우 친하게 지냈는데, 내가 웨스트버지니아 대학으로 학교를 옮기면서 연락이 끊겼다.

그 후 나는 웨스트버지니아대학에서 학위를 하고 돌아와 경성대학교 (부산산업대학이 종합대학으로 승격하면서 바뀐 교명)에 복직하고는 정년퇴직하기 직전 갑자기 이 양반 생각이 났다.

사람이 성실하였으니 아마도 북텍사스주립대학에서 박사 학위를 받아 대만으로 돌아갔을 거라고 생각하여, 인터넷을 통해 이 양반 이름을 타이베이에 있는 대학에서 찾아보았다.

찾아보니 불광대학(佛光大學)의 교수로 재직하다가 몇 년 전 은퇴한 것을 발견했다.

그러나 이메일 주소도 전화도 나오지 않아 같은 과의 OOO교수에게 이메일을 보내 이 양반의 이메일 주소를 알아내어 연락을 하였다.

인터넷 덕분에 오랜 만에 반갑게 소식을 주고받게 된 것이다.

왕 교수는 나보고 대만에 놀러오라 하고, 나는 왕 교수에게 부산에 놀러 오라 하다가, 2018년 4월 대만 여행을 하면서 왕 교수 부부를 만나게 되었다.

인연이란 만나고 싶어 하면 이렇게도 이어지는 모양이다.

왕 교수 부부하고는 국립대만박물관 앞에서 만났는데, 세월이 흘러 나이를 먹긴 했으나 옛 얼굴이 그대로 남아 있어 금방 알아볼 수 있었다.

세월이 35년 넘게 흘렀으나, 왕 교수 부부는 참으로 곱게 늙었고 젊어 보였다.

왕 교수 부부는 은퇴하고 부부가 함께 지금은 반로환동(返老還童) 수련공법(修煉功法) 선생을 하며 지낸다고 한다.

그래서 젊음을 계속 유지하는가?

왕 교수가 예약해 놓은 식당에서 옛 이야기를 하다 보니, 왕 교수 부인이 옛날 텍사스에 있을 때 우리 집에 온 것을 기억하고 있다.

이런 저런 이야기를 하며 정말 즐거운 시간을 보냈다.

옛 친구를 만나

멀리서 벗이 찾아와 주었으니 그 또한 즐겁지 아니한가(有朋自遠方
來 不亦樂乎 유붕자원방래 불역낙호)라는 말은 논어에 나오는 말인데, 참
으로 틀린 말이 아니다.

만나면 헤어지는 법.

좋아하는 사람과는 이별의 슬픔이 있는 것이고, 이것이 불가에선 애
별리(愛別離)라는 인생팔고(人生八苦) 가운데 하나라고 하지만, 헤어짐의
슬픔보다는 만남의 기쁨이 훨씬 더 크다는 생각이다.

왕 교수 부부하고는 부산에서 다시 만날 것을 약속하고 헤어진다.

귀국하여: 회상

이발

오늘은 이 교수가 이발해 주기로 한 날이다.

원래 이발소에 가는 것을 별로 좋아하지 않았던 나로서는 결혼한 후부터는 집사람이 가위로 조금 씩 쳐 주는 것으로 이발을 대신하였었는데, 이번에는 이 교수가 그 역할을 대신 맡은 것이다.

그것도 처음에는, 그러니까 작년 여름 처음 이발할 때에는, 그럴 듯하게 쳐 주어서 한 두어 달에 한 번씩 이발을 맡기기로 마음먹었던 것이다.

그리고 그 뿐만 아니라 이 교수가 자신의 머리를 깎을 때마다--이 교수 머리는 송이네가 깎아 주는데, 솜씨가 괜찮다--생각이 나는지 전화를 하는 것이었다.

"형님, 머리 깎을 때 되었는데, 안 오세요?" 하고.

그런데 머리 깎는 솜씨가 점차 줄어드는 것인지 다음 번 깎을 때에는 전 번보다 못한 것 같고, 또 그 다음 번에는 역시 그 전 번보다 못한 것 같았다.

곧, 이발한 머리 모양이 점점 이상해져 갔다.

그렇지만 이 교수가 머리 깎아 주기 싫거나 귀찮아서 그런 것은 아니라는 것은 확신한다.

이 교수는 자신의 전공인 조경학에 대해 대단한 자부심을 가지고 있었고, 머리 모양내기도 예술이라면서 그것이 조경과 조금도 다름없다는 주장 하에 자신의 조경학을 내 머리 위에서 실현하는 데 아주 적극적이었기 때문이다.

그러니, 머리 깎는 일이 얼마나 즐거운 일일 것인가!

송이네가 깎아 준다고 나서도 자신이 가위를 들고 절대로 양보하는 일이 없는 것만 보아도 알 수 있는 일이다.

이 교수 집엘 갔더니 벌써 가위와 보자기, 의자 등 만반의 준비를 해 놓고 기다리고 있는 것이었다.

준비된 의자에 앉아 며칠 새 내린 비로 연두 색 새 잎사귀가 벌써 반질반질하게 진초록으로 바뀌어 가고 있는 담쟁이와 멀쑥하게 솟아오른 이름 모를 풀들의 새 싹, 그리고 만개한 꽃 중에서 이미 반 이상이 져 버리고 대신에 그 자리를 차지하고 있는 붉으스럼한 새싹들이 어느새 초라해져 지고 있는 꽃들과 어우러져 울긋불긋한 모습을 보여 주는 벚나무들을 둘러보면서 "벌써 봄이 갔구나."하는 상념에 젖어 있을 때, 이 교수는 열심히 자르고 또 자르고 자신의 조경에 열심이었다.

어느 덧 나무 의자가 궁둥이에 베기고 허리가 뒤틀릴 즈음, "이제 대강 대강 하고 끝내"라는 말이 나오기 직전, 이 교수는 앞에 서서, 옆

에 서서, 이리 보고 저리 보고 하더니,

"한 번 방에 가서 거울 좀 보고 오세요. 좀 터프하게 깎였는데……."

"터프한 것, 좋지!"

나는 내심 제임스 딘처럼 깎았는가 생각하면서 집안으로 들어섰는데 집사람과 송이네가 갑자기 나를 보더니 깔깔 웃기 시작하는 거였다.

"아니 머리를 왜 이렇게 깎아 놨어?"

나는 얼른 화장실의 거울로 달려가 얼마나 터프하게 깎아 놨기에 그러는가 싶어 머리를 살펴보니, 단발머리에 완전히 영구 머리 스타일이 가미된 것이었다.

그러나 어쩔 수 없는 일! 일은 저질러진 것, 해결책이 중요한 것 아니겠는가.

나름대로 이 모양을 어떻게 변화시킬 것인가를 궁리하는 참에 이 교수가 들어오면서

"어때? 형님 머리 터프하지? 그런데 조금 이상한 것 같아……."

"아니, 당신은 오빠 머리를 왜 그렇게 깎았어?"

"아니 그런대로 멋있잖아. 괜찮은데……."

"괜찮다니, 여기 여기를 더 쳐야지" 하면서 손으로 이곳저곳을 가리키는 것이었다.

주내는 옆에서 그냥 웃고 있을 뿐이었다.

나는 양 쪽 옆머리를 대각선으로 조금 쳐보라고 주문하고선 다시 의자에 앉았다.

대충 교정을 한 후 다시 거울을 보았으나, 크게 나아진 것은 없었

이발

다.

그리고 또 별로 나아질 것 같지도 않아서 "됐으니까 그만 끝내자"고 말하고는 머리를 털었다.

"아니, 이 서방은 영구 머리가 그렇게 터프해 보였나? 그렇다면 조경 공부를 다시 해야겠는 걸."

"아니, 괜찮은데요. 뭘 그러셔요."

"내가 한국에서 이렇게 깎았으면, 가만히 못 있지. 아예 박박 밀어 버리지. 그렇지만 이곳은 미국이니까 그냥 놔 두는 거여. 워낙 이상한 놈들이 많은 나라니까. 내 머리 모양이 조금 이상해도 이 나라에선 하나도 이상한 것이 아니니깐."

"맞어요, 맞어!" 하면서 내 말에 모두들 웃는 동안, 나 혼자서는 다시 한 번 한국의 문화와 미국의 문화가 어떻게 다른가를 느끼면서, 미국이 그런 점에서 참으로 행동하기가 편한 나라구나라는 생각이 잦아들었다.

* 2001.3.3.토요일 씀

귀국하여: 회상

또다시 적응

BM이, BN이는 한국에 돌아와 학교에 적응하는 데 너무 애를 많이 먹었다.

만 다섯 살, 세 살에 미국에 갔다가 딱 4년 8개월이 지나 한국으로 돌아왔으니, 만 열 살, 여덟 살에 귀국한 것이다.

박사학위를 따오긴 했으나, 김포 공항에 도착하니 무일푼 신세였다. 아버님 역시 내가 유학 중에 고생을 많이 하셨다.

은퇴하신 아버님께서는 경제적으로 어려움이 커 결국 북안현동 집을 팔고 부천 송내동의 연립주택에 동생들과 거주하고 계셨다.

할 수 없이 부천 아버님 댁으로 우리 네 식구까지 들어갔다.

아이들은 각각 초등학교 2학년, 4학년에 편입되었다.

아이들이 학교에 간지 며칠 안 되어,

"학교에서 선생님이 애들 손바닥을 자를 가지고 때려요."

미국에선 전혀 볼 수 없는 광경이었을 거다. 아마 미국에서 이렇게 회초리를 들었다면 그 선생님은 잡혀 갔을 거다.

"우리나라에서는 선생님이 아이들 공부 잘하라고 꾸중하시는 거야. 미워서 그런 게 아니고, 너희들을 사랑하기 때문에 그러시는 거지. 여긴 미국하고는 달라."

아이에게 미국과 한국의 교육 환경이 어찌 다른지를 설명해주었지만, 문화적 충격에서 벗어나지 못한 듯싶다.

특히 큰 애는 성격이 내성적이고, 말이 없어 미국에 처음 갔을 때에도 적응을 하지 못하여 한 이 년 동안 무척 고생을 했었는데, 교육 환경이 완전히 다르지, 말은 잘 안 통하지, 귀국하고 나서도 역시 적응하질 못하는 거다.

미국에선 모르간타운 웨스트버지니아 대학 근처의 감리교회(Wesley United Methodist Church) 지하실을 빌려 '한글학교'를 열어 우리말 우리글을 가르쳤지만, 그리고 집에서도 우리말을 열심히 가르쳤으나, 이런 것들은 일반 생활에서나 쓰일 뿐 한국 학교에서는 통하지 않는 것이었다.

예컨대, 큰 아이가 그날 학교에서 배운 것을 보니, 태백산맥이니, 노령산맥이니 하는 산맥 이름들과 만경평야 같은 것이 나오는데, 이 말들이 무슨 의미인지를 전혀 모르는 거다.

그렇다고 선생님이 이걸 친절하게 가르쳐주진 않고 야단만 치니, 말도 못하고 내성적인 BM이 심정은 어떻겠는가!

어느 날 시험을 보고 채점한 국어시험지를 들고 왔는데, 40점이었던가? 다른 과목들도 마찬가지였다.

미국에서 영재교육을 받던 아이들이 졸지에 둔재가 되어버린 것이다.

에이, 그래도 영재교육을 받건 아이들인데, 점점 나아지겠지!

그렇지만, 중학교엘 들어가도 큰 놈은 전혀 나아지지 않았다.

영어만큼은 잘하리라 생각했으나, 그것도 잠간일 뿐, 한국 애들을 따라가지 못하는 거다.

영어라도 계속 잘해야 한다고 생각하여, 집에 오면 EBS에서 방영하는 영어 교실을 청취하게 하였으나, 학교에서 배우는 영어 공부조차도 아이들이 따라가지 못하는 거다.

한국말로 동사, 명사, 관형사구, 1형식, 2형식 등 문법 중심으로 영어를 가르치니 우리말이 서투른 아이들이 이해를 잘하지 못하는 까닭이다.

듣고, 읽고, 말하기는 잘하지만…….

그리하여 특단의 대책으로 국어 선생님을 모셔다 과외도 시켜보았지만 그 효과는 전혀 없었다.

다만 큰 애는 그림에 소질이 있었던 모양이다. 미국에서 초등학교 다닐 때 그린 그림이 지금도 남아 있다.

큰 애는 아무 말 없이 그림만 그리거나 컴퓨터로 게임만 하곤 했다.

시간을 많이 빼앗기는 거 같아 이를 하지 못하게 야단도 쳐 보았지만, 별 효과가 없었다.

아무래도 그림보다는 학교 공부를 따라가야 된다고 생각하여 못하게 하면, 밤에 이불 속에다 전등을 켜 놓고 그림을 그리곤 했다.

작은 애는 그나마 성격이 주내를 닮아서 활달하고 상대방을 늘 배려

또다시 적응

하는 성격이어서 귀여움을 많이 받아서 그런지 조금씩 적응해나가긴 했으나, 미국에서 천재 소리 듣던 것에 비하면 여기에선 완전히 둔재였다.

결국 중학교, 고등학교를 졸업하였으나 성적은 나아지지 않았고, 결국 좋은 대학엔 진학하질 못하였다.

큰 애는 좋은 대학을 가지 못하고 부산 변두리의 전문대학에 입학하였으나 역시 우리말이 서툴러 교양과목 등은 대체적으로 성적이 별로 좋지 않았다.

작은 애는 서울 유원아파트에 살았을 때 우연히 방송국의 엑스트라로 한 번 출연하면서부터 연극에 빠지게 되어 고등학교부터 예술고등학교를 간다는 것을 말리고 말려 인문계 고등학교에 진학하였으나, 결국 대학은 H대학의 연극영화과를 갔다.

이 학교에서는 나름대로 적응을 잘하였고, 군대를 갔다.

미국에서 영재교육을 받던 아이들이 좋은 대학도 못 가고, 가지고 있는 재능을 살리지 못하니, 그 재능이 아까워 유학을 가라고 권하였더니 아이들도 제대로 공부해야 할 필요성을 느꼈는지 유학 준비를 하여 다시 미국으로 건너간 것이다.

BM이 군대 생활

BM이에게,

"한국에서 생활을 하려면 좋은 대학을 나와야 하니. 유학을 가서라도 너의 재능을 살려라."

설득했더니, 지 생각에도 그냥 있어서는 안 되겠다 싶었는지 군에 입대해서도 유학 공부를 한 모양이다.

군에서는 기계화사단인가 하는 시쳇말로 훈련이 아주 빡센 곳에서 근무를 하였는데, 여기에서도 우리말이 서툴러 고문관 행세를 하였던 모양이다.

본인 이야기로는 기계화사단에서는 훈련이 너무 힘들어 훈련이 끝나면 다 지치기 때문에, 졸병이라고 괴롭힘을 당하는 경우가 거의 없다고 한다.

시간적 여유도 있고 군 생활이 편해지면, 계급이 낮은 아랫사람들을 괴롭히는 시간도 느는데, 이 부대에서는 그런 시간이 없어 오히려 좋다는 거다.

그렇지만, 그렇다고 괴롭힘을 당하지 않는 건 아니었다.

군에서 보통 휴가를 나가게 되면, 상급자가

"야, 너 휴가 나갔다 돌아올 때 뭐 가지고 올 거냐?"

라고 물으면 하급자는

"예! 통닭 한 마리 사들고 오겠습니다."

등등의 대답을 해야 하는데, 이 녀석은

"예! 영어 사전 가져오겠습니다."

라고 대답하였다는 거다.

지 딴에는 단어라도 하나 더 외워 유학 갈 준비를 하려고 한 말이겠지만, 이 말을 들은 군내의 상급자들은 정말 어이가 없었을 거다.

"야, 이 자슥아, 여기가 공부하는 데냐? 공부하는 데야~"

하면서 기합을 주었다고 한다.

이거야 그저 웃어넘길 일이지만, 한편으로는 말이 잘 안 통해서 일어난 해프닝이었으니 괴롭힘을 당해도 어쩔 수 없었을 거다.

그렇지만 사람 사는 곳에선 갑질하는 녀석들이 꼭 있기 마련이다.

하루는 계급이 하나 더 높다고 평소에도 BM이를 못 살게 굴던 상급자인 OOO 상병과 함께 야간 보초 근무를 서는데, 이 친구, 그 버릇이 어디 가랴!

보초를 서면서 BM이에게 "꼬나 박어!"[6]를 시켜 놓고는 발로 걷어차는 등 못살게 굴었다고 한다.

---

6) 손은 등짐을 진 채로 철모를 땅에 놓고 그 위에 머리를 박는 자세.

귀국하여: 회상

222

참다 참다 견디다 못한 BM이가 일어서서는 그냥 주먹으로 한 대 갈겼다고 한다. 한마디로 하극상이다.

"어!, 너, 너……. " 하면서 말을 못 잇는데…….

"나 영창 가도 좋으니, 우리 한 판 붙자."

그러자, OOO 상병, 창피하기도 하고, BM이와 붙어서 이길 자신도 없고…….

허긴 BM이는 태권도 3단의 유단자라서 군 태권도 시간에 사범 노릇을 하였으니, 붙어서는 이길 자신이 없었던 거다.

그러니 어찌 하겠는가?

주먹은 가깝고 법은 멀고, 더 이상 진행하다간 체면만 떨어지고…….

"BM아, 미안하다. 내가 사과할 게. 대신 다른 사람들에게는 오늘 일은 비밀로 하자."고 현명한 선택을 했단다.

이런 일이 있었지만 집에 와서는 전혀 이런 얘기를 하지 않았다.

이 이야기는 지 동생(BN)에게 하였기에, BN이를 통해서 들은 이야기이다.

그 뒤부터는 BM이를 괴롭히는 일은 없었다고 한다.

어렸을 때 태권도를 시킨 것이 빛을 발한 것이다.

암! 누구든지 자기 몸은 자기가 지킬 수 있어야 하느니!

BM이 군대 생활

BM이 유학 생활

BM이는 군 제대 후, 애니메이션을 전공하고 싶다고 하여 캐나다 오타와에 있는 세네카 대학(Seneca Collage)에 입학하였다.

이 학교는 3년 과정의 전문대학이었는데, 이 학교를 나와 미국의 조지아에 있는 사바나 대학(Savannah College of Art and Design)에 학사 편입을 하였고, 여기를 나와 뉴욕에 있는 SVA(School of Visual Art) 대학원에 들어가 애니메이션으로 석사학위(MFA)를 받았다.

약 8년간의 유학생활을 하는 동안 BM이는 BM이 대로 고생을 무척 많이 하였다.

당시 BM이 뿐만 아니라 BN이도 뉴욕대학에 유학하고 있었기에 두 아이의 학비와 생활비를 보내주어야 했다.

그러나 월급을 셋으로 쪼개어 생활비로 매달 250만 원(약 2,000달러) 정도밖에 못 보내주었다.

이 돈은 뉴욕에서 집세 정도밖에 안 되는 돈이어서 살기가 어려운 돈이었다.

그렇지만 어찌하겠는가!

한편 학비는 둘 다 사립대학이어서 학기에 각각 5,000달러가 넘었는데, 이는 사립학교 연금공단에서 돈을 빌려 보내주었다.

BM이는 생활비를 아끼려고 할렘가에 방을 얻어 학교를 다닌 모양이다.

어느 날 저녁 어둑해질 때, 강도가 BM이 방을 무단 침입하였기에 싸워서 쫓아낸 적도 있었다고 한다.

지금 생각하면, 정말 위험한 짓을 한 거다. 미국이 어떤 세상인데……. 그냥 총으로 쏘아버렸다면 어찌했겠는가!

한편, 뭐 자긴 게 있다고 가난한 유학생 집에서 강도짓을 하려 하다니, 그 놈도 정신이 없는 놈인 모양이다.

허긴 없는 사람끼리 볶아대는 세상이니…….

한 번은 슬리퍼를 질질 끌고 길을 걸어가는데, 한 놈이 다가와서는 옆구리에 칼을 들이대고는

"야! 돈 내놔!"

"읎어!"

칼을 들이댄 친구, BM이 모양을 아래위로 훑어보더니

"에이! 씨발, 재수 없어."

하면서 그냥 가더란다.

허긴 낡은 슬리퍼에 허름한 옷을 걸쳤으니, 거진 거지꼴이었을 텐

BM이 유학 생활

데, 사람 잘못 고른 거다.

SVA를 나와 BM이는 로스엔젤레스에 있는 유명한 만화영화사인 디지털 도메인(Digital Domain)이라는 회사에 취업하였다가 귀국하여 현재 D대학교 디지털콘텐츠학부 교수로 재직하고 있다.

그런데 우리나라 대학에서는 학력 인플레가 되어서인지 교수가 되려면 박사 학위를 요구하였다.

애니메이션 분야에서도 마찬가지였다. 석사학위(MFA)가 최종학위이기 때문에 박사학위는 없다고 하여도, 박사학위가 필요하단다.

예전에는 안 그랬는데, 예술 분야에서 무슨 박사학위가 필요한가?

그런데 한국은 이게 문제다.

없는데 어찌 박사학위를 따나?

결국 인접 분야에서라도 박사학위를 가지고 있어야 든든할 듯하여 P대학교 대학원 박사과정인 마린융합디자인협동과정에 등록하고는 1년인가 다니다 말았다.

D대학교는 문화가 완전 군대식이어서, 명색이 교수이지, 학문에 정진할 시간이 없을 정도로 새벽에 출근하여 12시가 넘어서 퇴근하는 생활이니 공부할 시간이 있겠는가?

귀국하여: 회상

BN이 유학 생활

BN이는 H대학 연극영화과를 나와 군 복무를 마치고 유학 준비를 하여 로터리 장학금을 받게 되었는데, 로터리 장학금은 로터리 클럽에서 지정하는 대학에만 갈 수 있다고 한다.[7]

곧, 로터리 클럽에서 지정해주는 주립대학 몇 군데 중에서 선택을 하여야 장학금을 받을 수 있는데, BN이는 대학원 연극영화과로서는 세계에서 제일 유명한 뉴욕대학(NYU)에 가고 싶어 했다.

그런데 불행히도 사립대학인 뉴욕대학은 로터리 클럽에서 지정해주는 학교가 아니었다.

어쩔까 하다가, 로터리 장학금을 포기하고 뉴욕 대학에 진학시키기로 결정했다.

---

7) 로터리 클럽은 각 나라 지역 간의 상호 교류가 주요 목적 중의 하나라서, 장학금을 주는 대신에 지정하는 학교에 입학할 것을 조건으로 하고 있다.

BN이 군대 생활

그 배경에는 유명한 대학을 나와야 한국에서 취업을 하든 무엇을 하든 유리하다는 나의 절실한 체험 때문에8) 아이들만큼은 제일 좋은 명망 있는 대학에 보내야겠다는 생각 때문이었다.

결국 BN이는 뉴욕대학(NYU) 연극영화과(dept. of drama and theater)에 진학하였다.

덕분에 애들 학비와 생활비 등을 마련하느라 무척 힘들었다.

이 대학은 미국 애들이 제일 가고 싶어 하는 대학 1순위로 꼽히지만 입학하기가 매우 어렵다는 맨하튼에 있는 대학이다.

BN이는 이 대학에서 2년 과정의 코스를 1년 만에 끝내고 석사학위를 따고 돌아왔다.

미국에선 여름방학 때에도 강좌를 개설하기에 여름학기에도 계속 강좌를 신청하여 이수하였기에 가능한 일이다.

미국은 합리적인 사회여서 등록금도 내가 신청하는 학점에 따라 그만큼만 내면 되는 까닭에 당장은 돈이 더 들지만, 학위 따는 시간을 단축할 수는 있고, 시간이 단축되는 대신에 생활비는 절약할 수 있는 것

---

8) 박사학위를 받고 돌아와, 모교인 서울대학교에 취업하고자 서류를 넣었으나, 서울대에서는 하버드 나온 후배들을 교수로 뽑았다.

학교 타이틀보다는 얼마나 학문적 성취가 있는가가 더 중요하다지만, 그것을 증명하기는 쉽지 않으니 결국 어느 학교를 나왔는가를 보고 뽑을 수밖에 없는 것이 현실 아닌가!

내가 교수를 채용한다고 해도 이왕이면 주립대학인 웨스트버지니아 대학의 박사보다는 하버드 대학의 박사를 뽑았을 거라는 생각이 든다.

당시 하버드나 예일 등의 학비는 당시 미국 주립대학의 10배가 넘었다. 그놈의 돈 때문에 주립대학을 택한 나의 잘못이었지만 뒤늦게 후회한들 어쩔 수 없지 않은가!

귀국하여: 회상

이다.

내처 박사 과정으로 진학하여 박사학위를 받아오라고 했건만, BN이 얘기로는,

"이 학교에는 천재들만 모였어요. 학교 다니면서 보니까 도저히 박사 과정 공부를 따라갈 수 없을 것 같아요."

BN이 이야기를 듣고 이 학과 교과목을 보니 연극영화과 역시 정치학과 못지않게 공부하기 어려운 학과구나 싶다.

예컨대, 셰익스피어를 읽으려면 중세 영어도 공부해야 하고, 극장 경영을 알아야 하니 극장경영학도 배워야 하고, 연극 작품을 해석하려면 문학적 철학적 기반도 있어야 하니 문학과 철학도 공부해야 하고, 무대 연출을 해야 하니 기존의 촬영기법뿐 아니라, 최신의 컴퓨터 기법 등도 배워야 하니 그야말로 종합예술이란 말처럼 다방면의 깊은 지식이 필요한 거였다.

내가 정치학과에서 고생한 것처럼 BN이도 공부하느라 무척 고생했을 것이다. 더욱이 2년 석사 과정을 일 년 만에 마치려고 방학도 없이 죽기 살기로 노력하였으니 공부에 질리기도 했을 것이다.

그러나 한국에선 박사 학위가 없으면 대학에서도 별로 취급을 안 해주는 풍토라서, 전공을 바꾸어 교육학이나 사회학 또는 사회복지학 쪽에서 박사학위 과정을 밟아 학위를 따고 돌아오라 일렀으나, 연극영화학 석사 학위를 마친 후 뉴욕에서 취업한다며 극장 경영 쪽을 기웃거리다가 1년 만에 돌아온 것이다.

본디 BN이는 성품이 올곧고 정직 성실하며, 그러면서도 모나지 않고 인간관계가 매우 좋아 늘 사람들로부터 사랑을 받아왔던 아이라서,

BN이 군대 생활

이런 아이가 정치를 하였으면 하는 바람도 있었고, 당시에는 정계에 아는 사람들도 꽤 있었기에 박사학위만 받아오면 정계로 진출하는 데 도움을 줄 수 있으리라 생각해서 전공을 바꾸더라도 박사학위를 받아오라 했던 것인데, 정작 본인은 그런 생각이 전혀 없었던 모양이다.

미국에서 돌아와 BN이는 문화공보부 산하 단체에 취업(준 공무원 신분)을 하였다. 1명을 뽑는데 120여 명이 지원하였다는데 여기에 채용된 것이다.

그리고는 얼마 후 대학교 다닐 때 같은 과 후배였던 여학생과 결혼을 하였다. 며느리 된 애는 당시 한국종합예술학교 석사 과정에 다니고 있었다.

둘은 결혼하여 서울에 단칸방을 마련하여 신혼 생활을 시작하였는데 직장을 몇 년 다니다가는 그만두고, 다시 미국으로 건너가 직업 치료(일치료: occupational therapy)를 공부하여 직업치료사가 되겠다고 한다.

그렇게 어려운 관문을 뚫고 다른 사람들이 부러워하는 직장에 취업하였으나, 월급은 박하고 일은 많고, 애를 낳으면 어찌 살아야 하나 제 딴에는 걱정이 되었던 모양이다.

마침 뉴욕에서 직업치료를 전공한 아는 선배와 통화를 하면서 직업치료사가 되면 월 700만 원을 받는다는 말을 듣고는 미국으로 가 다시 공부하겠다는 거다.

아무리 설득을 해도 듣지를 않고, 살던 집을 팔아 그 돈을 들고 미국으로 건너갔다.

기대를 많이 하였던 자식인데, 괘씸하기도 하고 가슴이 정말 많이 아팠다.

학비나 생활비는 일체 보내줄 수도 없고, 보내 주지도 않는다고 했지만, 집사람이 나 몰래 조금씩 보내준 모양이다.

어찌되었든 미국에서 직업 치료를 공부하여 지금은 뉴욕에 있는 큰 병원에 취업하여 뉴저지에 잘 살고 있다.

그렇지만 그 재능이 너무 아깝다. 지금도 아깝다는 생각은 변함이 없다.

우리 사회에 필요한 정말 아까운 인재지만, 지 생활 지가 한다는 데야 내가 더 이상 어쩔 수 없는 것이다.

그저 며느리하고, 손녀하고 잘 살기를 바랄 뿐이다.

귀국 후의 생활

① 고마운 친구

하루라도 빨리 복직하여 경제적으로 어려우신 아버님을 모셔야겠다는 생각에서 박사 논문이 통과되자마자 며칠 후 바로 비행기 표를 끊어 박사 가운도 입어보지 못한 채 서둘러 귀국하였다.

김포 공항에 도착하니 아버님과 친척들이 마중을 나오셨다. 아버님과 친척들에 둘러싸여 있는데, 대학 친구인 대영(大映) 선생9)이 저쪽에서 주뼛거리더니 말없이 다가와 내 호주머니에 봉투를 하나 넣어주며,

---

9) 서울 문리대 다닐 때 사귀었던 친한 친구들 다섯 명이 큰 대(大) 자 돌림으로 호(號)를 짓고 '5대 악당'(五大 樂黨: 惡黨이 아님)이라는 모임을 만들었는데, 국문과의 대웅(大雄) 김○○, 영문과의 대영(大映) 배○○, 사회사업학과의 대봉(大峰) 김○○, 법학과의 대경(大鏡) 유○○, 그리고 나 대방(大邦)의 다섯이 그 멤버이다.

귀국하여: 회상

"필요한 데 써라."

고 하며 사라진다.

나중에 봉투를 보니 거금 40만 원이 들어 있었다. 당시 돈으로는 매우 큰돈이었다. 아마 지금으로 따지면 400만 원도 넘는 돈이리라.

귀국하였으나 내 주머니에 한국 돈이 있을 리 없다.

물론 달러는 조금 있었지만, 그 당시에는 외환 관리가 철저하여 달러를 한국 돈으로 바꾸려면 을지로에 있는 외환은행 본점에 가서 서류를 작성하고 심사를 받아야 겨우 바꿀 수 있었다.

더욱이 5년 전 상황과는 달리 한국, 아니 서울은 급속도로 발전하는 시기였기에 주변 도로도 많이 달라져 있어 지리도 생소하고 정말 옛날 서울이 아니었다.

이런 상황에서 버스 노선도 잘 모르고 결국 택시를 많이 이용할 수밖에 없었는데, 대영이 준 40만원이 큰 효력을 발휘하였다.

그렇다고 경제력이 없는 아버님에게 한국 돈 좀 달라고 할 수는 없었는데, 대영이 이를 미리 생각하여 준 돈이니 정말 생각할수록 고마웠다.

아직도 그 고마움은 잊혀 지지 않는다.

② 장티푸스?

귀국하고 며칠 안 되어서였다.

갑자기 열이 나기 시작했다. 40도가 넘는 고열이었다.

할 수 없이 부천의 ○○병원에 입원을 했다.

귀국 후의 생활

병원에서는 열이 나는 원인을 찾아내려 이것저것 검사를 하였으나 그 원인을 찾아내지 못했다.

"왜 이리 열이 나는지요?"

"글쎄, 피검사를 해 보았으나 별 이상이 없네요. 아마 장티푸스 같습니다."

"아니, 변 검사에서 장티푸스 균이 나왔나요?"

"안 나왔지만, 이런 경우는 장티푸스 밖에 없습니다."

"아니 설사도 안 하고, 균도 안 나왔는데, 그렇게 단정 지을 수는 없지 않나요?"

"좀 두고 봅시다."

몸에서 열이 나니, 해열제를 주사하고, 겨드랑이와 가슴에 얼음주머니를 가져다 안긴다.

열이 나니 추워 죽겠구만, 차가운 얼음주머니를 가져다 무자비하게 앵기니 선뜻선뜻한 게 사람 미치겠다.

안 당해본 사람은 몰라!

게다가 열이 난다고 병원에선 밥 대신 멀건 죽만 주니 배도 무지하게 고프고!

하루는 주내에게 김밥 좀 싸다 달라고 하여 몰래 먹다가 들켰다.

"이런 거 먹으면 안 돼욋!"

의사와 간호원에게 디게 혼났다.

도저히 병원에서 견딜 수가 없어, 퇴원하겠다고 하니, 퇴원은 안 된다고 한다.

"장티푸스는 일종 전염병이어서 퇴원하게 되면, 보건복지부에 보고 해야 합니다. 그러면 강제 격리시킬 수밖에 없습니다."

"장티푸스균도 안 나왔다면서요."

"그렇지만 열이 이렇게 많이 나는 건 장티푸스밖에 없습니다. 그러니 신고할 수밖에요."

그렇지만 그렇다고 도저히 병원에 있을 수는 없었다.

열은 나고, 배는 고프고, 얼음주머니를 겨드랑이에 넣을 때마다 선뜻선뜻하여 놀라고, 그렇다고 차도가 있는 것도 아니고!

게다가 사람을 소스라치게 놀라게 하는 얼음주머니 값은 값대로 병원비에 포함되고!

의사가 퇴원은 안 된다며, 퇴원하면 강제 격리시킬 수밖에 없다고 강력하게 협박을 했지만 도저히 안 되겠다 싶어 그냥 집으로 와 버렸다.

집에 누워 주내의 병간호를 받았다.

열은 내려야 하겠지만, 갑자기 차가운 것이 몸에 닿는 것이 너무나 끔찍하여서 주내에게 미지근한 물에 수건을 적셔서 꼭 짜 가지고 이마에 얹어 달라고 했다.

주내는 수건을 미지근한 물에 적셔서 꼭 짜가지고 땀을 닦고, 이마에 얹어주는 것을 반복했다.

그리고는 북어국을 끓여 주어 수시로 그 물을 마셨다. 북어국이 열 내리고 몸 보양하는 데는 최고다.

약은 열이 날 때, 바이엘 아스피린(나에게는 이상하게도 타이레놀이 듣질 않는다)과 비타민 C를 먹었다.

그러면서 주내에게 성룡이 나오는 비디오를 빌려오라 하여 코믹한

귀국 후의 생활

무술영화를 보며 웃으며 시간을 보냈다.

며칠 지나니 몸이 가뿐해졌다.

병을 낫게 하는 것은 돈이 아니라, 무엇보다도 사랑이 최고고, 웃는 게 최고다.

그렇게 이름 없이 앓던 열병이 깨끗이 나았다.

병원에선 보건복지부에 신고를 했는지 안 했는지는 모르겠으나, 아무런 소식이 없는 걸 보니 보건복지부에 신고하지는 않은 모양이다.

뚜렷한 증거 없이 일종 전염병인 장티푸스라고 신고할 수는 없는 거 아닌가!

괜히 일주일 남짓 병원에서 고생만 한 거다.

돌팔이 의사 같으니라구!

③ 집

유학 가느라 집은 날아갔지, 당장 우리 네 식구 살 곳이 없으니, 귀국하여 일단 부천에 계신 아버님 집에 들어갔다.

그러나 아버님 계신 곳에는 학교에 다니는 동생들 둘이 함께 기거하고 있으니 집이 비좁을 수밖에 없었다.

얼마 안 되어 아버님 댁에서 나와 당시 새로 개발된 서울 강서구 목동의 아파트 8단지 아파트의 방 한 칸을 전세로 얻어서 옮겼다.

돈이 없으니 집을 살 수는 없고, 당분간 아파트 방 한 칸을 빌려 살았다.

당시 50평 아파트가 8,000만 원인가 했는데, 집 주인도 돈이 모자라 우리에게 방 한 칸을 3,000만 원에 전세 놓고 5,000만원에 집을 산 것인데, 우리는 왜 이런 생각을 못했는지…….

한 아파트에 두 집이 같이 살자니 부엌도 같이 쓰는 등 불편한 점도 많았으나, 집 주인 아줌마도 성격이 무난하고 주내도 잘 견뎌주어 고마웠다.

집 주인 아줌마가 주내에게 자기들처럼 집을 사지 왜 전세로 사느냐고 하는 바람에, 주내가 자그마한 집이라도 사자고 하였으나 돈이 안 되는 거였다.

결국 아버님과 상의하여 부천의 아버지 집을 팔고, 목동 아파트 단지 바깥, 오목교 근처의 유원아파트 30평짜리를 사서 아버님을 모셨다.

4 이직 시도

직장이 부산이니 서울에서 아침 4시 반에 일어나 영등포 역으로 나가 새벽 기차를 타고 부산 역에 도착하면 11시쯤 되었고, 학교에 도착하면 11시 반 쯤 되었다.

부산에서 며칠간 근무하고 서울로 돌아오는 생활을 했다.

우리나라는 뭐든지 서울 중심이어서 학회 활동도 서울이 활발하였고, 아이들 학교도 서울에서 보내야한다는 주내 말도 일리가 있고, 아버님도 부산엔 친구가 없어 당분간 서울에서 생활을 하기로 한 것이다.

그러면서 서울로 전직하려고 여기저기 이력서를 내보았으나, 안 되려고 그랬는지 모교에서는 명망 있는 대학의 후배 박사들 때문에 못 들어가고, 그렇지 않은 대학에서는 자격이 넘친다고(over-qualifying)

귀국 후의 생활

안 받아주었다

당시 1980년 대 중반부터 대학에 행정학과가 엄청 많이 늘어났기에 일자리는 많았으나, 새로 생긴 행정학과의 교수들은 석사학위밖에 없는 경우가 많았기에 미국에서 박사학위를 받은, 그리고 부산이지만 대학에서 근무했던 경력이 있는 나를 뽑으면 자기들이 치인다고 생각하였는지 뽑기에 주저하였기 때문이다.

결국 이직에는 실패하고, 얼마 후 부산 해운대 신시가지 아파트로 집을 옮겼다.

서울에서 부산으로 출퇴근하는 동안에는 모교 대학원 사회복지학과에서 강좌를 얻어 시간강사 노릇도 하였는데, 이때 좋은 후배들을 가르친 것이 보람이 있었다.

이때 가르친 학생들 대부분은 대학교수로 취업을 하였고, 그 중에는 문재인 정권 하에서 보건복지부장관을 지낸 박OO K대 교수도 있어 마음이 뿌듯하다.

역소득세

미국에서 일을 하면 세금을 낸다.

그런데 연말정산을 하고 나면, 일정 소득 이하인 경우, 곧 빈곤선보다 적은 소득인 경우, 그 동안 냈던 세금에다 더 돈을 붙여 다음 해 5월에 되돌려준다.

이른 바 역소득세(negative income tax) 제도이다.

역소득세 계산은 좀 복잡하다. 근로의욕을 높이기 위해 세금을 많이 냈으나 연소득이 빈곤선 이하이면. 덧붙여 주는 돈이 더 많고, 세금을 적게 냈으면 더 적다.

어찌되었든 그 계산은 세무서에서 하는 일이니 그냥 믿기로 하고 이 제도와 관련된 우리 이야기를 하고자 한다.

매년 연말에 우체국에 가면 연말정산 서류가 들어 있는 자그마한 책자를 준다.

역소득세

그 책자를 받아 책자에 쓰여 있는 대로 서류를 작성하여 제출하면 된다.

글만 알면 서류는 간단하고 전혀 어렵지 않다. 그래도 이를 도와주는 사람이 연말에는 우체국에 상주하며 서류 작성을 도와준다.

이에 비하면 우리나라 연말정산은 왜 그리 예외도 많고 복잡한지! 박사인 나도 연말정산을 하려면 한참 헤맨다. 그래도 잘 모른다.

제발 우리나라 세법 좀 단순하고 알기 쉽게 고칠 수는 없는 건지? 미국에서처럼 쉽고 단순하게 하면 안 되나?

복잡하고 어려워야 세무사들이 먹고 살기는 하겠지만…….

미국에 처음 가면 사회보장사무소(social security office)에 가서 사회보장번호(social security number)를 받는다.

사회보장번호는 5x4 센티미터쯤 되는 종잇조각에 번호를 인쇄해서 주는데, 미국에서 살려면 이게 필요하다.

마켓에서 물건을 사면 수표로 지불하게 되는데, 100달러가 넘는 물건이면 반드시 신분증 제시를 요구한다. 그것도 두 개 이상의 신분증을 요구하는 경우가 많다. 따라서 운전면허증과 사회보장번호를 보여주어야 한다.

지금은 이런 관습이 많이 바뀌었는지는 모르겠다. 여하튼 유학할 당시에는 그랬다. 궁금하신 분은 비행기 타고 미국 가서 한 번 알아보시라.

그러니 사회보장번호는 일종의 주민등록증 비슷하다고 보면 된다. 유학생의 경우, 이 번호가 적힌 종잇조각 뒤에는 취업 불가라는 도장이

귀국하여: 회상

찍혀 있다.

웨스트버지니아 대학에서, TA를 할 때 받은 월급은 500달러 정도였는데, 월급과 함께 세금 낸 영수증을 준다. 세금은 월급의 10%로서 5%는 사회보장세(social security tax)이고, 5%는 소득세(enrollment tax)였던 걸로 기억한다.

그러면 이 영수증을 모아났다가 연말 정산 서류를 작성한 후 이 영수증을 붙여서 제출하면, 다음 해 5월 1,500달러 정도의 세금 환급이 이루어진다.

물론 불법 취업을 하면, 영수증을 받을 수 없으니 소득 신고를 하지 못한다.

그렇지만 적법하게 학교에서 일을 하든지, 아니면 불법으로 일을 하더라도 고용주가 지급한 월급을 비용으로 처리하여야 하므로 영수증을 발급해주는 경우에는 소득 신고 때 써 먹을 수 있다.

처음 미국에 갔을 때는 불법 취업으로 아르바이트를 하였으니, 그것도 잠시 잠시 한 것이니, 연말정산이고 역소득세고간에 몰랐고, 그 다음 해에는 주내가 회계사 사무실에 근무하고 월급을 받고 영수증도 받았으나, 역소득세 제도를 알려주지 않아서 연말정산을 못했다.

유학을 가면 모든 게 낯설다.

이때 이미 먼저 온 유학생들이 도와주게 되는데, 처음에 공항에서 픽업하기, 집 구해주기, 사회보장 사무소에 데리고 가 사회보장번호 받기, 은행에 데리고 가 계좌 트고 수표 받기. 그리고 운전면허 딸 수 있도록 운전교습 따위를 도와준다.

물론 자동차 사기 전에는 시장 갈 때에는 시장도 같이 가 주고 픽

역소득세

요할 때에는 자동차도 태워주는 등 일상에 필요한 일을 도와준다.

그렇지만, 연말정산하는 법과 역소득세제도에 관해서는 잘 안 알려준다. 연말정산은 미국 온지 적어도 몇 개월 지나야 하게 되니까 가르쳐주는 걸 깜빡하는 것이다.

결국 이 연말정산과 역소득세 제도를 알고 적극적으로 써 먹은 것은 미국 온지 3년 만의 일이다.

텍사스에서 2년의 세월을 보내고, 웨스트버지니아에 온 것은 1984년 여름이었다.

나는 웨스트버지니아 대학에서 TA로 일을 했기에 이 해 12월에 연말 정산을 처음 하게 되었다.

4개월 월급을 받았기에 내가 낸 세금은 4개월치니 200달러 정도 되었는데, 다음해 5월에 환급받은 것은 1,000달러 정도였다.

그냥 공돈이 생긴 것이다. 참 좋은 제도이다!

그리고 보니, 여기 오기 전에 주내가 텍사스의 회계사 사무실에서 일을 했지만, 그때는 역소득세제도를 몰라서 써 먹지 못한 것이 참으로 아쉽다.

그 다음 해인 1985년, 1986년 연말정산에서는 낸 세금이 600달러 정도였는데, 연말정산 후 다음 해 환급금은 1,500달러 정도 되었던 것으로 기억한다.

그리고 1987년 5월 박사 학위를 받고 귀국하였다.

귀국하고 몇 년인가 지났는데, 역시 유학갔다 돌아와 대학에 근무하는 모 교수를 만나 역소득세 이야기가 나왔는데……

이 친구, 한국에 돌아와서도 미국 정부로부터 환급금을 받았다는 거

귀국하여: 회상

다. 이 친구 말에 따르면,

"한미은행에 가면 연말정산하는 책자가 있어요. 이 서류를 작성하여 보냈더니, 미국 세무서에서 환급금이 왔어요."

우리나라에서도 연말정산 서류를 작성하여 미국으로 보냈더니 다음 해 5월 환급금을 받았다는 거다.

우와, 똑똑한 친구다. 한국에 돌아와서까지 환급금을 챙겨 받았다니……. 정말 똑똑하다!

세상엔 똑똑한 친구들이 많다.

이에 비하면 난 어찌 그리 우매한지? 갑자기 초라해진다. 한국에서 미국정부에 연말정산 할 생각을 전혀 하지 못한 내가 바보이다.

반성한다.

내가 이런 걸 알았다면 귀국한 해 1월부터 5월까지 내가 미국 정부에 낸 세금에 역소득세까지 합하여 1,000달러 정도는 환급받았을 텐데…….

아깝다!

역소득세

미국 연금과 재난지원금

① 미국 연금

미국에서 공부할 때 분명 사회보장세를 냈으니, 65세가 되어 이를 찾아야겠다 싶어, 미국 사회보장청 홈페이지에 들어가 서류를 작성하였다. 물론 이때 주내 서류도 함께 기입하였다.

그리고는 이삼 개월쯤 되었을 때, 꼼에 있는 사회보장사무소에서 전화가 왔다.

전화로 인터뷰를 직접 하여 본인임을 확인하고, 내가 그 동안 낸 세금에 따라 연금을 얼마 줄 지를 통고해 주기 위한 절차였다.

그런데 이게 웬 일인가?

웨스트버지니아대학에서 TA로 일하면서 낸 세금 기록이 없다는 거다. 반면에 주내는 텍사스의 회계사 사무소에서 일할 때낸 세금 기록이 남아 있어 매달 40달러 정도 연금을 받을 거라는 거다.

귀국하여: 회상

주내가 회계사 사무실에 한 6~7개월 다녔나 싶은데, 그때 낸 세금이 지금은 효자노릇을 하고 있는 것이다.

나는 기록이 없어 줄 수 없으나, 주내에게 '딸린 식구'(dependent)가 되어 20달러 정도 받을 수 있을 거라고 한다.

이후 내 통장엔 20달러 정도, 주내 통장엔 32달러(40달러에서 세금을 뗀 금액) 정도가 매달 들어온다.

아니 미국 정부에 낸 세금은 내가 훨씬 많은데, 기록이 없어서 안 되고 간신히 주내의 '딸린 식구'가 되어 겨우 20달러 정도밖에 못 받는다니 이렇게 억울할 수가!

"내가 웨스트버지니아 대학에서 TA로 일하면서 3년 동안 꼬박꼬박 세금을 냈는데……. 소득세 5%, 사회보장세 5%를 냈는데, 기록에 없다니 말이 되느냐?"

그렇지만 아무리 얘길 해도 기록이 없다는 데야!

나중에 뉴욕에 사는 BN이에게 가면 다시 한 번 직접 사회보장 사무소에 가봐야겠다고 결심한다.

그 후 남미 여행을 계획하여 남미를 가게 되었는데, 뉴저지에 있는 손녀 승아도 보고, 작은 아들과 며느리도 보고, 사회보장 사무소에도 가봐야겠다 싶어 일정을 뉴욕 들리는 것으로 짰다.

시간을 내어 뉴저지에 있는 사회보장 사무소에 들렸다.

컴퓨터를 두드려보더니, 역시 대답은 마찬가지이다.

"기록이 없습니다."

"그럴 리가 있나요? 웨스트버지니아대학에서 3년 동안 일을 하고 사회보장세 5%를 꼬박꼬박 냈는데……. "

미국 연금과 재난지원금

"그러면 웨스트버지니아 대학에 알아보세요. 저희로선 어쩔 수가 없습니다."

아마도 컴퓨터 기록을 이전할 때 소실된 듯하다.

그렇지만, 이를 복구하려면 웨스트버지니아대학에서 TA할 때 세금 낸 기록이 남아 있는지를 확인해야 하고, 확인한 다음 다시 사회보장사무소에 가 기록 정정을 요구하고 등등 할 일이 많다.

사회보장사무소에서 받아들이지 않는다면, 변호사를 사 웨스트버지니아 대학 근무 당시의 세무 보고 자료들을 증거 자료로 삼아 법원에 미국 연방정부(사회보장청) 대상으로 소송을 제기할 수밖에 없다.

그렇지만 여행 중에 이런 번거로운 일을 할 수는 없지 않은가!

그냥 단념하고 주내의 '딸린 식구'가 되어 쥐꼬리만 한 연금을 받을 수밖에 없다.

에이, 내 팔자야!

② 재난지원금

2020년부터 코로나 때문에 세상이 뒤집어졌다.

외국 여행은 물론 할 수 없고, 바깥에 나가는 것도 마스크를 쓰고 2m 거리를 띄우고 다녀야 하고, 5인 이상 만나지도 못하고

그러니 조그마한 식당이나 가게 등 소상공인들은 손님이 줄어드니 죽을 맛이다.

정부에선 국민들의 경제생활을 돕기 위해 몇 차례에 걸쳐 재난지원

금을 준다.

처음에는 전 국민에게 재난지원금을 주었는데, 그 다음부터는 소상 공인 등을 선별하여 재난지원금을 준다.

미국에서도 재난지원금을 주는 것은 마찬가지이다.

그런데 미국에서는 선별하지 않고 전 국민에게 재난지원금을 몇 차례 지급했는데, 이 혜택이 우리 가족에게도 왔다.

미국 재무부에서 지급하는 재난지원금 수표가 나와 주내에게 날아온 것이다.

선별주의 국가인 미국에서는 코로나 재난지원금 대상을 선별하지 않고, 사회보장번호가 있는 모든 사람에게 보편적으로 지급하는 반면에, 우리나라에서는 재정을 핑계로 처음 한 번만 재난지원금을 주고는 그 다음부터는 선별하여 일부 계층에게만 준다는 사실이 참으로 아이러니 하다.

어찌되었든, 제대로 받아야 할 연금은 제대로 못 받는 처지가 되었 지만, 사회보장번호가 있는 까닭에, 코로나 사태에 미국 재무성으로부터 재난지원금을 지금까지 네 차례나 감사히 받았다.

또 줬으면 좋겠다!

* 2021년 5월 20일 씀

미국 연금과 재난지원금

나가며

이 책은 〈삶의 지혜〉 시리즈로 구성된 여섯 권의 책 중 하나이다.

쓴 이가 평생을 살아오면서 생활하고 느낀 것들을 모아 놓은 것인데, 그 내용을 간략히 추려 여기에 소개하면 다음과 같다.

〈삶의 지혜 1: 근원(根源)〉은 문화, 예술, 종교, 그리고 존재의 본질에 관해 써 놓은 에세이이다.

여기에서 쓴 이는 이 세상의 본꼴이라는 주제로 허상(虛像) 속의 실상(實相)을 찾는다. 우리의 삶이라는 허상 속에도 가장 근원적인 것이 있고, 그것을 이해하면 우리의 삶을 풍요롭게 하는 지혜를 가질 수 있다는 메시지를 전달하려 한다.

주제가 철학적이고 심리학적이어서 제목만 보면 언뜻 무거워 보이나, 내용은 전혀 그렇지 않다. 쉽고 재미있게 쓴 것이어서 부담 없이 읽으며, 우리의 삶을 풍요롭게 하는, 적어도 삶의 가치에 대한 슬기를 얻을 수 있다고 확신한다.

〈사람의 지혜 2: 아름다운 세상, 추한 세상, 어느 세상에 살고 싶은가요?〉는 1권에서 제시한 삶에 관한 보기들이라고 할 수 있다.

이 세상의 삶은 나에 달려 있음을 바탕으로 삶의 지혜를 제공하는 단편들로 이루어져 있다고 볼 수 있다.

내가 누구에게나 정말로 권하고 싶은 책이다.

〈삶의 지혜 3: 정치와 정책〉은 우리가 사회생활을 해나가는 동안 나타나는 여러 문제들과 그것을 해결하는 방법을 제시한 글이지만, 앞의 두 권이 주로 개인의 관점에서 삶의 지혜를 주는 것이라면, 이 책은 사회의 관점에서 우리가 어찌해야 할 것인지를 논의하고 있다.

우리 곁에 늘 있는 현상이지만, 보통 사람들은 별 관심을 가지지 않는, 그러나 우리 생활에 직접적인 영향을 미치는 정치 현상을 좀 더 쉽게 이해하고, 제대로 알았으면 하여 쉽게 써 놓은 글들을 모아 놓은 것이다.

이 책은 정치란 무엇이고, 정책이란 무엇인지를 보는 눈을 기른다는 점에서 정책학을 공부하는 학생들은 물론 일반 국민들도 모두 읽어 보았으면 하는 책이다.

네 번째 책인 〈삶의 지혜 4: 미국의 문화와 생활〉은 책 제목이 말해주듯이 주로 미국에 유학하여 생활하며 느꼈던 미국 문화의 특징과 미국인의 가치관, 그리고 미국 유학과 관련된 일상들 및 귀국 후의 생활을 정리해 놓은 것이다.

이 책을 통해서 미국인의 문화와 가치관을 이해하거나, 미국 유학 및 미국 생활에 필요한 유용한 정보를 얻을 수 있으리라 생각한다.

나가며

뿐만 아니라 미국에 살다 귀국하게 되면 부딪치는 일들에 관한 경험을 적어 놓은 것이어서, 이러한 것들이 미국에서 고국으로 영원히 귀국하시는 분들의 적응에 도움이 될 수 있으리라 생각한다.

다섯 번째 책 〈삶의 지혜 5: 세상이 왜 이래?〉는 '생각'과 '생활'이라는 두 부분으로 크게 나누어진다.

'생각' 부분은 나 자신의 생각이 나에게 미치는 영향, 나와 다른 사람들과의 관계에 관한 통찰, 시간과 소유, 무소유, 공유에 관한 나의 생각 등을 제시해 놓은 것으로서, 어찌 보면 〈사람의 지혜 2: 아름다운 세상, 추한 세상, 어느 세상에 살고 싶은가요?〉의 연장선상에 있는 내용이라 할 수 있다.

'생활' 부분은 일상생활에서 생기는 일들에 대한 나의 소회를 적어 놓은 부분과, 정치 관련 에세이들, 그리고, 작년부터 우리를 '방콕'하게 만들었던 코로나 사태와 관련하여 생긴 일들과 받아들이기 어려운 세상의 변화에 대한 나의 느낌 등을 적어놓은 것이다.

여섯 번째 〈삶의 지혜 6: 삶의 흔적이 내는 소리〉에서는 삶과 자연에 대한 감상 따위를 시답지 않은 시의 형식을 빌려 그 동안 틈틈이 끄적거려 놓았던 시와 시조 및 산문 등과 우리 집 막내가 써 놓은 어렸을 때의 일기를 덧붙이고, 여기에 우리말 우리글에 대한 생각들을 적어 놓은 에세이 등으로 책을 펴내려고 한다.

이 책은 우리가 우리말 우리글에 대한 애착을 가지거나, 그냥 순수한 마음으로 아무런 생각 없이 시를 읽고 감상하는 것도 또 다른 생활의 지혜 아닐까 싶어 한데 엮어 놓은 것이다.

이 여섯 권의 책은 대부분 나의 생각이고 나의 경험을 적어 놓은

나가며

것이지만, 우리의 삶을 풍요롭게 해줄 수 있는 지혜를 줄 수 있으리라 생각하여 부끄러움을 무릅쓰고 내 놓은 것이다.

읽는 분들에게 도움이 되면 좋겠다.

2021.7.5

송원

나가며

책 소개

* 여기 소개하는 책들은 **주문형 도서(pod: publish on demand)**이
므로 시중 서점에는 없습니다. 교보문고나 부크크에 인터넷으로 주문하
시면 4-5일 걸려 배송됩니다.

http//pubple.kyobobook.co.kr/ 참조.

http://www.bookk.co.kr/store/newCart 참조.

여행기

〈러시아 여행기 1부: 아시아 편〉 시베리아를 횡단하며. 부크크.
2019. 국판 칼라. 296쪽. 24,300원. / 전자책 2,500원.

〈러시아 여행기 2부: 쌍 뻬쩨르부르그 / 황금의 고리〉 문화와 예술의
향기. 부크크. 2019. 국판 칼라. 264쪽. 19,500원. / 전자책 2,500원.

〈러시아 여행기 3부: 모스크바〉 동화 속의 아름다움을 꿈꾸며. 부크
크. 2019. 국판 칼라. 276쪽. 21,300원. / 전자책 2,500원.

〈마다가스카르 여행기〉 왜 거꾸로 서 있니? 부크크. 2019. 국판 칼라
276쪽. 21,300원. / 전자책 2,500원.

〈유럽여행기 1: 서부 유럽 편〉 몇 개국 도셨어요? 부크크. 2020. 국판 칼라. 280쪽. 21,900원.

〈유럽여행기 2: 북부 유럽 편〉 지나가는 것은 무엇이든 추억이 되는 거야. 부크크. 2020. 국판 칼라. 280쪽. 21,900원.

〈북유럽 여행기: 스웨덴 노르웨이〉 세계에서 제일 아름다운 곳. 부크크. 2019. 국판 칼라. 256쪽. 18,300원. / 전자책 2,500원.

〈유럽 여행기: 동구 겨울 여행〉 집착이 삶의 무게라고……. 부크크. 2019. 국판 칼라. 300쪽. 24,900원. / 전자책 3,000원.

〈포르투갈 스페인 여행기〉 이제는 고생 끝. 하느님께서 짐을 벗겨 주셨노라! 부크크. 2020. 국판 칼라. 200쪽. 14,500원. / 전자책 2,500원.

〈미국 여행기 1: 샌프란시스코, 라센, 옐로우스톤, 그랜드 캐년, 데스 밸리, 하와이〉 허! 참, 이상한 나라여! 부크크. 2020. 국판 칼라. 328쪽. 27,700원. / 전자책 3,000원.

〈미국 여행기 2: 캘리포니아, 네바다, 유타, 아리조나, 오레곤, 워싱턴 주〉 보면 볼수록 신기한 나라! 부크크. 2020. 국판 칼라. 278쪽. 21,600원. / 전자책 2,500원.

여행기

〈미국 여행기 3: 미국 동부, 남부, 중부, 캐나다 오타와 주〉 그리움을 찾아서. 부크크. 2020. 국판 칼라. 286쪽. 23,100원. / 전자책 2,500원.

〈멕시코 기행〉 마야를 찾아서. 부크크. 2020. 국판 칼라. 298쪽. 26,600원. / 전자책 3,000원.

〈페루 기행〉 잉카를 찾아서. 부크크. 2020. 국판 칼라. 250쪽. 17,000원. / 전자책 2,500원.

〈남미 여행기 1: 도미니카, 콜롬비아, 볼리비아, 칠레〉 아름다운 여행. 부크크. 2020. 국판 칼라. 262쪽. 19,200원. / 전자책 2,000원.

〈남미 여행기 2: 아르헨티나, 칠레〉 파타고니아와 이과수. 부크크. 2020. 국판 칼라. 270쪽. 20,400원. / 전자책 2,000원.

〈남미 여행기 3: 브라질, 스페인, 그리스〉 순수와 동심의 세계. 부크크. 2020. 국판 칼라. 252쪽. 17,700원. / 전자책 2,000원.

〈일본 여행기 1: 대마도 규슈〉 별 거 없다데스!. 부크크. 2020. 국판 칼라. 202쪽. 14,600원. / 전자책 2,000원.

〈일본 여행기 2: 고베, 교토, 나라, 오사카〉 별 거 있다데스! 부크크. 2020. 국판 칼라. 180쪽. 13,700원. / 전자책 2,000원.

책 소개

〈중국 여행기 1: 북경, 장가계, 상해, 항주〉 크다고 기 죽어? 교보문고 퍼플. 2017. 국판 211쪽. 9,000원. / 부크크. 전자책 2,000원.

〈중국 여행기 2: 계림, 서안, 화산, 황산, 항주〉 신선이 살던 곳. 교보문고 퍼플. 2017. 국판 304쪽. 11,800원. / 부크크. 전자책 2,000원.

〈타이완 일주기 1: 타이베이, 타이중, 아리산, 타이나, 가오슝〉 자연이 만든 보물 1. 부크크. 2020. 국판 칼라. 208쪽. 14,900원. / 전자책 2,000원.

〈타이완 일주기 2: 헌춘, 컨딩, 타이동, 화렌, 지룽, 타이베이〉 자연이 만든 보물 2. 부크크. 2020. 국판 칼라. 166쪽. 13,200원. / 전자책 1,500원.

〈태국 여행기: 푸켓, 치앙마이, 치앙라이〉 깨달음은 상투의 길이에 비례한다. 교보문고 퍼플. 2018. 국판 202쪽. 10,000원. 부크크 전자책 2,000원.

〈동남아 여행기 1: 미얀마〉 벗으라면 벗겠어요. 교보문고 퍼플. 2018. 국판 302쪽. 11,800원. / 부크크. 전자책 2,000원.

〈동남아 여행기 2: 태국〉 이러다 성불하겠다. 교보문고 퍼플. 2018. 국판 212쪽. 9,000원. / 부크크. 전자책 2,000원.

여행기

〈동남아 여행기 3: 라오스, 싱가포르, 조호바루〉 도가니와 족발. 교보문고 퍼플. 2018. 국판 244쪽. 11,300원. / 부크크. 전자책 2,000원.

〈동남아시아 여행기: 수코타이, 파타야, 코타키나발루〉 우좌! 우좌! 부크크. 2019. 국판 칼라 234쪽. 16,200원. / 전자책 2,000원.

〈인도네시아 기행〉 신(神)들의 나라. 부크크. 2019. 국판 칼라 132쪽. 12,000원. / 전자책 2,000원.

〈중앙아시아 여행기 1: 카자흐스탄, 키르기스스탄〉 천산이 품은 그림. 부크크. 2020. 국판 칼라 182쪽. 13,800원. / 전자책 2,000원.

〈중앙아시아 여행기 2: 카자흐스탄, 키르기스스탄〉 천산이 품은 그림 2. 부크크. 2020. 국판 칼라 180쪽. 13,700원. / 전자책 2,000원.

〈조지아, 아르메니아 여행기 1〉 코카서스의 보물을 찾아 1. 부크크. 2020. 국판 칼라 184쪽. 13,900원. / 전자책 2,000원.

〈조지아, 아르메니아 여행기 2〉 코카서스의 보물을 찾아 2. 부크크. 2020. 국판 칼라 182쪽. 13,800원. / 전자책 2,000원.

〈조지아, 아르메니아 여행기 3〉 코카서스의 보물을 찾아 3. 부크크. 2020. 국판 칼라 192쪽. 14,200원. / 전자책 2,000원.

〈터키 여행기 1: 이스탄불 편〉 허망을 일깨우고. 교보문고 퍼플.
2017. 국판 235쪽. 9,700원. / 부크크. 전자책 2,500원.

〈터키 여행기 2: 트로이, 에베소, 파묵칼레, 괴뢰메 등〉 잊혀버린 세월
을 찾아서. 교보문고 퍼플. 2017. 국판 254쪽. 10,200원. / 부크
크. 2019. 전자책 2,500원.

〈시리아 요르단 이집트 기행〉 사막을 경험하면 낙타 코가 된다. 부크크.
국판 268쪽. 14,600원. / 전자책 2,500원.

우리말 관련 사전 및 에세이

〈우리 뿌리말 사전: 말과 뜻의 가지치기〉. 재개정판. 교보문고 퍼플.
2020. 국배판 916쪽. 75,500원. /전자책 20,000원.

〈우리말의 뿌리를 찾아서 1〉 코리아는 호랑이의 나라. 교보문고 퍼
플. 2016. 국판 240쪽. 11,400원. / e퍼플. 2019. 전자책 247쪽.
4,000원.

〈우리말의 뿌리를 찾아서 2〉 아내는 해와 같이 높은 사람. 교보문고 퍼
플. 2016. 국판 234쪽. 11,100원.

우리말 관련 사전 및 에세이

〈우리말의 뿌리를 찾아서 3〉 안데스에도 가락국이……. 교보문고 퍼플.
2017. 국판 239쪽. 11,400원.

수필: 삶의 지혜 시리즈

〈삶의 지혜 1〉 근원(根源): 앎과 삶을 위한 에세이. 교보문고 퍼플.
2017. 국판 249쪽. 10,100원.

〈삶의 지혜 2〉 아름다운 세상, 추한 세상 어느 세상에 살고 싶은가요?
교보문고 퍼플. 2017. 국판 251쪽. 10,100원.

〈삶의 지혜 3〉 정치와 정책. 교보문고 퍼플. 2018. 국판 296쪽. 11,500
원.

〈삶의 지혜 4〉 미국의 문화와 생활, 부크크. 2021. 국판 270쪽. 15,600
원.

〈삶의 지혜 5〉 세상이 왜 이래? 부크크. 2021. 국판 244쪽. 14,600원.

〈삶의 지혜 6〉 삶의 흔적이 내는 소리. 부크크. 근간

기타 전문 서적

〈4차 산업사회와 정부의 역할〉 부크크. 2020. 152 * 225 84쪽. 8,200원. ISBN 9791137209473 / 전자출판. 2,000원.

〈4차 산업시대에 대비한 사회복지정책학〉 교보문고 퍼플. 2018. 152 * 225 양장 753쪽. 42,700원. ISBN 9788924056594

〈사회과학자를 위한 아리마 시계열분석〉 교보문고 퍼플. 2018. 258 쪽. 국판. 10,100원. ISBN 9788924056273

〈회귀분석과 아리마 시계열분석〉 한국학술정보. 2013. 152 * 225 188쪽. 14,000원. ISBN 9788926846438(8926846431) / 전 자책 8,400원.

〈사회복지정책론〉 송근원 김태성 공저. 나남. 2008. 153 * 224 ISBN9788930033688(8930033687) 424쪽. 16,000원.

〈선거공약과 이슈전략〉 한울. 1992. 국판 206쪽. 5,500원. ISBN 9788946020153(8946020156)

지은이 소개

- 송근원
- 대전 출생
- 전 경성대학교 교수, 법정대학장, 대학원장.
- e-mail: gwsong51@gmail.com
- 여행을 좋아하며 우리말과 우리 민속에 남다른 애정을 가지고 있음.
- 저서: 세계 각국의 여행기와 수필 및 전문서적이 있음